Furor Domini

JOSÉ MIGUEL GAONA CARTOLANO

Furor Domini
La ira de Dios

SECRET BOOKS

Primera edición: marzo de 2021

Furor Domini. La ira de Dios
© José Miguel Gaona Cartolano, 2021
© de la presente edición, Secret Books, 2021
© SecretMedia, S. L.
Plaza de la Independencia, 10-1ºD
28001 Madrid, España

Diseño de cubierta: Unusual Corp
Maquetación: https://maquetadordelibros.es

ISBN: 978-84-09-27203-7
Depósito legal: M-7157-2021
Kindle Direct Publishing
Paperback edition

A todos aquellos que ya no están entre nosotros
y que fallecieron en soledad

Aunque extraño, pareció en un comienzo un hecho aislado lo que sucedió aquella mañana del martes, 1 de junio de 2038, en la concurrida Akmenseddicate de Estambul. Mientras esperaba la llegada del *dolmus*[1] que lo conduciría a su trabajo en el Banco de Mesrutyz, en el barrio de Gálata, al otro lado del Cuerno de Oro, ante la sorpresa o indiferencia de los transeúntes, el ciudadano Bulent Kemal se desplomó junto a un puesto de flores, a escasa distancia de la mezquita de Nirkaiser. Algunos prosiguieron su camino pensando que se trataba de un resbalón y otros intentaron ayudarlo, pero ya era tarde porque Bulent Kemal había fallecido. De ello dio buena cuenta a la central de seguridad uno de los drones vigilantes cuyo sistema de inteligencia artificial, considerando la zona y hora del día, interpretó como anómalas las imágenes en las que una silueta humana se encontraba postrada e inmóvil sobre el suelo.

Exceptuando la comprensible emoción de una muerte callejera, el asunto no parecía tener mayor trascendencia, y lo único que atrajo la atención de los camilleros que acudieron a recogerlo fueron unas manchas azuladas en el tórax y abdomen de la víctima. En sus papeles no se consignaban enfermedades ni precauciones médicas, aunque Bulent Kemal

---

[1] Taxi colectivo.

no tenía sino veintitrés años, y difícilmente puede la ciencia explicar un deceso brusco a esa edad, a menos que existan antecedentes patológicos. Sin embargo, los facultativos del hospital Mesak, al cual fue llevado, no tardaron en descartar un historial anómalo luego de la autopsia que le fue practicada. Sus órganos fueron examinados rutinariamente y luego de forma exhaustiva, sin hallar signos anormales fuera de una hipertrofia del bazo y de las manchas azules en la piel.

Se rotuló por último el caso como «muerte debida a insuficiencia suprarrenal aguda», diagnóstico que, aunque discutible, era difícil de objetar. Como la mayoría de los muertos, Bulent Kemal fue incinerado e introducido en una vasija biodegradable obedeciendo a las nuevas directrices ecológicas, siendo su recuerdo tan breve como un destello sobre el Bósforo. Sin embargo, una semana más tarde se produjo un hecho semejante en la ciudad española de Burgos: mientras leía *La Hoja del Lunes* en su dispositivo portátil en el autobús en que viajaba, Antonio Hermida, encargado de una tahona de la calle Nevera, se descompuso repentinamente y su cabeza se volteó hacia su vecina de asiento. Esta, disgustada y creyéndolo borracho, estuvo a punto de insultarlo, pero no tardó en darse cuenta de que estaba inconsciente, y entonces se puso a chillar, contagiando con su nerviosismo al resto de los pasajeros. El autobús se detuvo en la calle Barrantes, poco antes de llegar al Paseo de los Cubos, y cuando apareció la ambulancia aérea, el tipo no presentaba signos de vida. En varias partes de su piel había esferas azuladas.

Dos semanas más tarde había subido a dieciocho el número de víctimas, todas del sexo masculino y en edades que no sobrepasaban los cuarenta; exhibían, sin excepción, manchas azules en la piel. Brasil, Nigeria y Polonia encabezaban los guarismos letales con dos casos cada uno, siguiéndolos, con una sola víctima, Austria, Jordania, Dinamarca, Chad, Noruega, España, India, Suecia, Turquía, Irak, Finlandia y Colombia.

Los medios informativos comenzaron a relacionar estos sucesos y, a medida que se consignaban nuevos afectados, la curiosidad fue cediendo el paso a la inquietud y al temor. No parecía fácil para ningún científico explicar por qué los casos eran únicamente del sexo masculino y en edades en que no se pierde normalmente la vida de una manera tan súbita y extraña. Si bien algunas de estas muertes habían acaecido en la vía pública, otras ocurrieron en recintos cerrados, y los casos en que fueron practicadas autopsias, estas resultaron negativas a cualquier hallazgo que pudiera explicar alguna patología ya conocida. El desconcierto de los médicos viró esperanzadoramente cuando surgieron los primeros casos de víctimas que, siendo atacadas por el misterioso mal, no murieron de forma violenta, sino que cursaron una evolución a través de semanas, días o, como se comprobaría más tarde, a lo largo de meses, lo cual iba a permitir, obviamente, una observación más acuciosa.

A mediados de agosto el número de bajas, entre enfermos y fallecidos, ascendió a 426. Esta inquietante cifra motivó que los Estados Unidos, uno de los pocos países que no registraba ningún caso, organizara un congreso de patólogos en Filadelfia; pero este encuentro científico, que se prolongó por cinco días de interminables debates, no arribó a ninguna conclusión. Apoyada por once expertos internacionales, la doctora Nayumi Nishiode, de Tokio, mantuvo la tesis de que se trataba de una reacción anafiláctica que no dejaba huellas en el organismo fuera de las rutinariamente halladas, pero esta afirmación apenas satisfacía la inquietud científica. Aun admitiendo esta hipótesis, quedaban sin resolver varias conjeturas, de las cuales las más desconcertantes eran, ciertamente, las causas que generaban tal reacción anafiláctica y por qué ocurría solo en el sexo masculino y en edades que no solían exceder los cuarenta y tres ni eran inferiores a los diecisiete años, como pudo establecerse más tarde.

Fracasadas las especulaciones médicas y ante el silencio más que habitual de la OMS, convertida ya desde hace años en una mera marca de un conocido fabricante chino de vacunas, brotaron otras de índole metafísica, religiosa o cósmica que, además de no cautivar sino a unos pocos, carecían de lógica o coherencia. La misma suerte corrieron otras teorías, seductoras o absurdas, a cargo de parapsicólogos, astrofísicos, santones o charlatanes, sosteniendo, muchos de ellos, que se trataba de radiaciones emanadas de seres extraterrestres o de los agujeros negros o choques de antimateria. Otros recordaron una pandemia acaecida unas pocas décadas antes, cuando se culpó a una nueva tecnología de transmisión de datos de aquel entonces denominada «5G» hasta el punto de que algunos miembros de la Unión Traoré (nombre otorgado en honor de uno de sus miembros asesinado por mercenarios de Global Telecom) destruyeron sin piedad sus antenas, problema resuelto a partir del 7G con la utilización masiva de satélites geoestacionarios. Algunos científicos admitieron la posibilidad de contaminación telúrica debida al polvo marciano, lunar, joviano o venusiano de las numerosas expediciones a esos planetas o a los satélites, y aunque estas suposiciones no eran fácilmente desechables, tampoco fue posible comprobarlas.

Los recursos médicos permitían solo atenuar los síntomas de esta extraña epidemia que no tardaría en convertirse en pandemia y que alguien, con poética y sombría precisión —un redactor del *World Medicine*, de Londres— etiquetó como la «peste azul», y de tal modo empezó desde entonces a ser denominada, incluso en círculos científicos.

Hasta fines de septiembre, solamente nueve países habían escapado del flagelo: Rumanía, Sierra Leona, Canadá, Kuwait, Camboya, Estados Unidos, Afganistán, Paraguay y Honduras. El jueves, 7 de octubre, Jean Claude Crevier, un taxista de Montreal, se estrelló con su coche en la intersección de Strathcona y Sherbrooke West, en el distrito de Westmount. Al retirar el cuerpo se comprobó su deceso. Su piel estaba salpicada de manchas azules. Canadá ya exhibía su primer caso.

A finales de 2038, el número de bajas alcanzaba, entre muertos y enfermos, la cifra de 57 196. Los segundos estaban destinados a formar parte de los primeros en un plazo variable que permitiría después clasificarlos en subagudos y subclínicos. Los más afortunados, merced a intensivas terapias que irían creándose, no sobrepasaban el año; pero el promedio de vida era de unos seis meses y, para espanto de muchos nuevos contagiados, se registraban numerosos casos que apenas duraban horas.

El Gobierno de los Estados Unidos se apresuró a establecer un cordón sanitario en sus fronteras y el senador Joseph Gardner propuso una ley para impedir el ingreso de viajeros procedentes de países donde hubiese estallado la peste, pero esta moción no pudo aprobarse por carecer de lógica y tuvo frontalmente en contra al Partido Panamericano, que casi alcanzaba la mayoría de representantes en el Senado.

¿Podía existir una medida razonable contra un mal cuyas causas se ignoraban? En remotos tiempos de epidemias extinguidas, como la bubónica, el cólera o las grandes epidemias de gripe, se adoptaban precauciones —risibles ahora— para defenderse de ellas, como el empleo de fogatas o la empírica administración de substancias químicas, y solo cuando fue posible descubrir el germen o virus culpable pudo lucharse contra ellas. Pero si bien esos azotes dejaban un desolador saldo de víctimas, parecían expandirse, al menos, siguiendo cierta lógica: atacaban por igual a hombres y mujeres y cursaban unas trayectorias que los epidemiólogos terminaron por conocer bastante bien. ¿Dónde residía la lógica de este nuevo mal azul? Hallábase malignamente dotado de una anárquica peculiaridad que se burlaba de razonamientos. «Desafía y arremete contra todo cuanto la ciencia ha conquistado a través de centurias», enfatizaba el *Zycie Warzawy* de Polonia a mediados de aquel año.

Ciertamente, con o sin la aprobación de la idea del senador Gardner, la epidemia azul terminó por alcanzar el territorio norteamericano, uno de los últimos reductos del orbe junto con Afganistán y Honduras. El 15 de octubre, un tibio viernes otoñal, se denunció en Nueva York ese sonado primer caso cuando Jonathan Pickford, un estudiante de Fordham, se desplomó sobre la mesa de la cafetería en el momento en que le preguntaba a Gwen Shire, la camarera, si aceptaba salir con él esa noche. El establecimiento, que estaba ubicado en Tremont Avenue, cerca de White Palms, fue acordonado por la policía y embestido más tarde por una indescriptible batahola, un convulsionado enjambre de periodistas, camarógrafos, médicos, enfermeras y curiosos que pugnaban por acercarse al lugar.

El terror impactó a los 432 millones de habitantes de la nación: ¡la epidemia azul había alcanzado finalmente a los Estados Unidos! Al estudiante de Fordham siguió un agricultor de Alabama, un físico de San Francisco, un sastre de Wichita y un clérigo de Iowa. El miedo comenzó a extenderse por la Unión[2] y el resto del mundo. En una época en que la humanidad

---

[2] La Unión constaba de solo de 46 estados de los 50 originales ya que Massachusetts, Pennsylvania, Virginia y Kentucky habían constituído, finalmente una Commonwealth independiente.

había alcanzado los más elevados niveles sanitarios, en que las energías renovables comandaban los conglomerados industriales y científicos y se había logrado la curación y prevención del cáncer prolongando la esperanza de vida más allá de los cien años, esta calamidad emergía siniestramente y exenta de toda lógica, perturbando a científicos, religiosos y agnósticos.

A aquellos que lograban superar la edad vulnerable les costaba reprimir su júbilo y celebraban su salvación en medio de grandes aspavientos. Era cada día más difícil encontrar lugares de recreo y de aturdimientos —bares, discotecas, casinos, sitios de sofisticaciones sexuales— que no estuviesen colmados de hombres y mujeres. Muchos abandonaban sus estudios y otros ni siquiera los iniciaban. ¿Quién era capaz de esgrimir buenos argumentos para convencer a una potencial víctima de meditar en su futuro? El único que se vislumbraba para un hombre joven era la muerte a corto o mediano plazo. Dominados otros por la desesperación, buscaron el alejamiento en distantes ciudades o islas solitarias, impelidos por la vaga esperanza de escamotear la peste, pero la geografía del globo terráqueo estaba teñida de azul en todos sus meridianos.

A comienzos de 2039 el número de afectados había alcanzado la pavorosa cifra de 7 687 902, de las cuales aproximadamente el 47 % correspondía a los que evolucionaban en pos de la muerte en sus modalidades subagudas o subclínicas. Desplazando las demás noticias, los medios informativos daban a conocer las estadísticas locales y mundiales con un cada vez más rutinario ritmo, cual si estuviesen refiriéndose a los milímetros de agua caídos en la última lluvia o a los visitantes ingresados en sus fronteras.

La humanidad iba comprimiéndose gradualmente y parecía destinada a convertirse en una extraña población de niños, hombres mayores, ancianos y mujeres. Como en las guerras, pero, a diferencia de estas, hallábase comprometido en la batalla un invisible ejército de jóvenes de todas las latitudes, aun de las más alejadas de la civilización, porque ya en marzo de ese año la totalidad de los países registraban víctimas en su territorio.

La vida, para quienes habían escapado de la edad fatídica o que estaban lejos de ella, adquirió un valor inconmensurable. Muchas mujeres que deseaban tener pareja masculina se encontraban con serios problemas a la hora de materializarlo. Los jóvenes no valían ya gran cosa, y no transcurrió mucho tiempo antes de que se dieran, en la mayoría de las ciudades, aventuras amorosas o matrimonios entre chicas adolescentes o impúberes con hombres que triplicaban o cuadruplicaban su edad. Algunas mujeres aceptaban a hombres prácticamente seniles, pues ¿de qué expectativas sentimentales podían disponer? ¿De la desvalorizada existencia de un tipo de veinticinco años? Era esta una mercancía que había perdido su valor, desplazada por otra que fue siempre desdeñada o ridiculizada: los ancianos o los hombres maduros, que hasta un año atrás y a través de todos los tiempos habían envidiado a los primeros inútilmente, maldiciendo el paso de los años.

Las cosas habían decididamente cambiado y eran los jóvenes quienes envidiaban ahora a los que no lo eran, y a semejanza de otras épocas en que los varones se esforzaban por mantener su lozanía o aparentarla, miles de jóvenes comenzaron a disfrazarse de sesentones. Análogamente a los institutos de rejuvenecimiento empezaron a prosperar los de envejecimiento, que anunciaban osadas técnicas para exhibir una atractiva edad invulnerable. Frases como «Muéstrese frente a una mujer con una apariencia de hombre maduro» o

«Envejecimientos garantizados» se podían leer u oír en los medios informativos.

Tales artimañas no pasaban, sin embargo, inadvertidas para muchas mujeres, que terminaban desconfiando de esos recursos, y cuando alguna relación sentimental adquiría mayor solidez, solían exigir documentos que acreditasen su verdadera edad o recurrían a investigadores privados para descubrir si eran o no objeto de engaño. Al comprobarlo algunas los abandonaban, enrostrándoles su felonía: «Fingías ser un tipo de edad y no eres más que un inservible joven… Ya puedes embaucar a otra».

El matrimonio y la vida en pareja habían caído en el descrédito. Algunos acababan así, pero eran los mismos que en mejores o peores épocas habrían dado el mismo paso porque eran estructuralmente hogareños y amantes de los hijos. Ni en las más rígidas épocas de la historia hubo tal cantidad de mujeres que conservaron su virginidad, no porque se hubiesen propuesto mantenerla, sino porque iba gradualmente desapareciendo la posibilidad de perderla. Muchas ofrecían no solamente su juventud o doncellez, sino su trabajo o sus bienes a cambio de una vida en común o una breve convivencia en la cual el elegido no tenía más que dejarse amar y pedir cuanto le viniese en ganas. En ese mundo enrarecido por el exterminio de los hombres jóvenes se expandieron, aún más si cabe, las artes amatorias entre mujeres de todas las edades, entregadas a amores fugaces en una árida tierra que iba vaciando minuto a minuto la posibilidad de amar a un hombre.

Los científicos proseguían, entretanto, una desesperada investigación para dar con las causas y remedios de esta epidemia. Médicos o improvisados curanderos actuaban impelidos por inspiraciones personales, prescribiendo toda suerte de ilógicas terapias: aplicación de ultrafrecuencias, rayos láser, de cobalto e isótopos radioactivos; al paso que exorcistas, brujos o charlatanes prometían su extinción mediante conjuros, infusiones de hierbas o con excrementos de cerdos o mandriles. Cualquier embaucador se las arreglaba para atraer a las multitudes de apestados o de quienes los rodeaban, y el temor o la esperanza permitía que unos y otros los siguieran en sus desatinados o convincentes desvaríos.

Cuando el apestado no moría de forma súbita, el proceso se arrastraba por semanas y meses, siendo el signo patognomónico la aparición de petequias o manchas azules en la piel, que a veces confluían con otros síntomas como tumefacción de las cuerdas vocales, aumento del volumen del bazo, estado nauseoso, vómitos, hemorragias y una fastidiosa visión doble o diplopía que exasperaba a sus víctimas. Pero el síntoma más desconcertante era el paradojal aumento de la libido en las etapas finales. No había explicación posible. Era como el canto del cisne para quienes se hallaban condenados a perecer, y solía ser de tal magnitud que generaba incómodas complicaciones en las clínicas y hospitales donde yacían los desdichados.

Las autoridades se sentían impotentes para detener el avance de la pandemia, limitándose a impartir ineficaces instrucciones preventivas. Las estaciones de metro, tren levitado y otros lugares de aglomeración ostentaban advertencias en dos o más idiomas, con inútiles aleccionamientos: «Evita la promiscuidad...», «Si empiezas a ver doble o a sangrar sin motivo...», precauciones que irritaban a muchos, exasperados contra las autoridades y científicos que no eran capaces de frenar esta plaga ni tampoco aclarar su origen.

La mayoría de los hospitales designaron pabellones especiales donde concentraban a los apestados y comenzaron a construirse otros destinados a albergarlos exclusivamente.

Por lo demás, el tratamiento no consistía en otra cosa que una desesperada terapia sintomática que lograba escasamente atenuar los sufrimientos o aplazar la muerte por unas cuantas semanas o días. Un esperanzador entusiasmo surgió a fines de 2039 con el L-SX-921-D o «enzymath», una compleja substancia creada por el profesor Vladislav Dubrovolski, de Kiev, que realmente no conseguía impedir el desenlace inexorable y en algunos casos se comprobó que los afectados apenas se beneficiaban con él. Ese mismo año, otras ilusiones animaron la congoja universal con perfeccionadas técnicas de acupuntura combinadas con terapias de calor y frío y la ingestión masiva de infusiones vegetales, logrando aplazar la muerte por tan solo cinco o diez meses. Magnificados los resultados, no transcurrió mucho tiempo para que se generara un creciente éxodo de esperanzados hacia Pekín, Shanghái y otras ciudades chinas; pero tampoco se libraron del sombrío final.

No, nadie podía escapar al flagelo azul en la Tierra, y solamente fuera de ella fue posible huir de sus estragos. Pudo, en efecto, comprobarse que aquellos astronautas o privilegiados viajeros que se encontraban en alguna de las estaciones espaciales de recreo quedaron indemnes a él, y muchos de esos millonarios que pudieron costearse un viaje extraterrestre quedaban a salvo de la pandemia. ¿Pero cuántos eran los que disponían del dinero, de la paciencia y de la suficiente ilusión para permanecer indefinidamente fuera del planeta nativo? Y aquellos que, nostálgicos o aburridos regresaban a él, terminaban siendo atrapados a corto o largo plazo.

Religiosos de todas las sectas oraban y suplicaban por la salvación de la humanidad en calles, templos, sinagogas, monasterios, mezquitas, catedrales o en humildes capillas pueblerinas. Era un patético clamor en el que varios idiomas se confundían para expresar la desolación que los aunaba, hermanados por la esperanza o la fe, una fe cada vez menos vigorosa, mientras teólogos y metafísicos pregonaban el principio del fin. Había empezado por los hombres jóvenes; les tocaría después a los que no lo eran y finalmente a las mujeres, los ancianos y los niños. ¿Había comenzado el apocalipsis señalado en la Biblia?

Al finalizar el primer año, los pocos países que todavía integraban las Naciones Unidas entregaron la escalofriante cifra de 276 309 163 casos en todo el mundo, de los cuales habían fallecido 138 499 667, debatiéndose los restantes en una cada vez más desesperada evolución o una impostergable agonía cuyos gastos médicos a los distintos gobiernos les era imposible sufragar. La proporción de los sexos descendió de cinco a dos varones por cada seis mujeres. Realmente no se vislumbraba una clara luz alentadora para controlar el enigmático mal que cubría ya los seis continentes y los mares y todas las razas. No existía un solo lugar en el mundo que pudiese vanagloriarse de no poseer una víctima, y hasta las diminutas islas de Tristán da Cunha entregaron su cifra de tres apestados.

IN MEMORY OF ALEXANDER SELKIRK,
MARINER

A native of Large in the country of Fife,
Scotland. Who lived in the island in complete
solitude for four years and four months. He
was landed from the Cinque Ports galley, 96
tons, 16 guns, A. D. 1704, and was taken off
in the Duke, privateer, 12ᵗʰ Feb. 1709. He died
lieutenant N. M. S. A. 1728, aged 47 years.

(Archipiélago de Juan Fernández. Océano Pacífico)

Damián miraba sin ver aquella placa colocada hacía ciento ochenta años por el Almirantazgo inglés. Muchas veces había estado en el mirador de Selkirk, no sabía cuántas —cien, trescientas o más—, desde que era niño, solo o acompañado de turistas jadeantes que iban tras él de forma cada vez más dificultosa hasta que lo alcanzaban después de dos o más horas de fatigoso escalar la montaña. Algunos abandonaban el desafío en la mitad del repecho y regresaban al hotel. Para Damián, en cambio, era tan simple como trepar por unas largas escaleras: sus piernas y su corazón estaban adiestrados para azarosas jornadas. Esta vez, y ya no era un niño, quiso subir solo.

El día anterior había presenciado cómo se sumergía en el mar el cadáver de su padre. Sobre su velludo pecho manchado con las letales petequias azules, pendía una cruz de madera de sándalo. Aún no había amanecido. Las autoridades se habían enterado de esos subterfugios necrópsicos y los prohibieron: pedían no contaminar las aguas, pues afirmaban que arriesgaría la industria de la langosta. El penoso rito debía, por consiguiente, llevarse a cabo de forma sigilosa, sorteando la mirada de carabineros y vigilantes marítimos y sanitarios. Una vez que el doctor Hermelo Huenchullan firmó el certificado de defunción de Sebastián Rojas, simularon sus funerales en el cementerio de Juanango, al que asistió la totalidad de sus compañeros de la cooperativa. El padre Cáceres impartió los ritos fúnebres, mientras el llanto de Rosalba cercenaba el silencio del camposanto. Eran pocos los que estaban enterados de lo que ocurriría después de ese apócrifo entierro. No era el suelo sino el mar el lugar donde Sebastián Rojas estaba destinado a permanecer en su diáfana y sempiterna quietud. Al cementerio irían a rescatarlo quince horas más tarde —pasadas las dos de la madrugada— su hijo Damián y sus dos fieles compañeros de faena, Tomás Leiva y Ambrosio Araya. Rosalba quiso agregarse a esta clandestina ceremonia, pero los tres se encargaron de disuadirla y tuvo que limitarse a permanecer en la casa donde había muerto su amante, el primer y último hombre de su vida. Asomada a la ventana, sus ojos siguieron las borrosas siluetas de esos tres hombres que iban a arrancarlo de la tierra para conducirlo a su sepultura marítima.

En la primera media hora, debieron emplear los remos para evitar los ruidos y las sospechas. No tardó el oleaje en vapulear los flancos de la Liliana II, la proa dirigida al noroeste.

A la altura del Pangal, comenzó a descender una llovizna vidriosa y amarillenta por la neblina. Los distantes resplandores de Cumberland emergieron a través de la bruma. Un dirigente surcaba el espacio en dirección sureste, con sus vistosas luces verdes y encarnadas; se veía tan pequeño como una gaviota. La visibilidad se había tornado difícil, y valiéndose de una linterna inmovilizaron el bongo y caminaron hasta el pequeño camposanto. Tomás y Ambrosio apartaron la capa de tierra y arrancaron las tablas del ataúd hecho de mañíu.

Damián experimentó un estremecimiento al ver a sus compañeros sacar el cadáver, al que posteriormente adosaron piedras con una singa, levantándolo luego en volandas hasta depositarlo en el vientre de la Liliana II. Echó a andar el motor y el bongo rumbeó con su carga fúnebre en dirección este, hasta detenerse en Punta Salinas. Eran ya las cuatro de la madrugada; la garúa se había transformado en algo viscoso. Ambrosio y Tomás agarraron el cuerpo por la cabeza y los hombros y Damián hizo lo mismo con los pies: unas enlodadas botas que le había metido Rosalba, de las cuales una no estaba perfectamente calzada, pero obviamente a estas alturas carecía de importancia.

—¡Más arriba! —ordenó Ambrosio.

Damián hizo un esfuerzo para estar al mismo nivel. Coordinando los impulsos, mecieron el cadáver para vencer la inercia, dejándolo caer en el agitado oleaje... Se escuchó, asordinado, el seco trallazo del cuerpo al golpear con la delicada superficie de su sepultura marítima. Damián quedó con la vista detenida en el lugar, cual si estuviese presenciando algo extraño a su vida. Estaba como anestesiado, y por unos instantes le entraron ganas de reír. ¿Estaba enloqueciendo? Solamente un orate podría experimentar hilaridad en esas circunstancias.

—¡Que descanses en paz! —se oye lejana, enredada en la neblina, la velada voz de Tomás Leiva.

A la altura de la Bahía del Inglés, se internaron mar adentro para arrojar las jaulas al mar. Pescaron corvinas, pampanitos[3] y langostas, que servirían para disimular por si algún ojo avizor rondaba cerca de la costa o en una escampavía. Era posible distinguir ya los bongos de otros pescadores. Al arribar a San Juan Bautista, Tomás y Ambrosio se ocuparon de conducir la cosecha marítima al frigorífico de la cooperativa y, al encaminarse a su casa, Damián vio surgir la achaparrada figura de Samuel Pezoa, el viejo pescador retirado que fuera amigo de su padre. Con una pipa parcialmente apagada en un extremo de la boca, avanzó en dirección a Damián, diciéndole:

—¡Rosalba no ha pegado los ojos esperando tu regreso! —Lo miró con mal disimulada ansiedad—. ¿Resultó todo… como debía ser? —Damián movió la cabeza; parecía un autómata—. ¡Si no fuese tan viejo, habría ido en el bongo! Me imagino ese momento, hijo. ¿Qué planes tienes ahora? ¿Seguirás, supongo, con Tomás y Ambrosio, como tu padre?

—Lo prometí y lo haré, aunque ya no tenga sentido.

—En Robinson terminamos haciendo lo que hicieron nuestros padres y abuelos. Nuestros nietos acabarán haciendo lo mismo, si es que quedarán nietos o hijos por algún tiempo más.

Al entrar en la casa, una vieja construcción de madera y piedra que Sebastián Rojas había edificado nueve años atrás. Pintada de un verde ya desteñido, exhibía el estuco desconchado en varias partes y también la pintura en el interior. Damián percibió sollozos mal reprimidos. Provenían de la habitación de Rosalba. No obstante el cansancio y el sueño, permaneció sentado, sin desvestirse, al borde de la cama. Miró una fotografía donde estaba su madre en la popa del bongo

---

[3] Pez, variedad de palometas. Tiene forma aplastada. También se conoce como «pez mantequilla».

abrazada a su hermana Flora y él en medio de las dos riéndose. Se encontró ridículo. Ridículo y carente de sentido, como todo. Se acordó de que esa toma fue sacada por su padre con una vieja Polaroid que le obsequiara un turista catalán pocas semanas antes del misterioso accidente en que perecieron su madre y su hermana. Aquel Cessna en el que volvían desde el continente, que todavía funcionaba con gasolina, se precipitó al mar. Lo realmente extraño es que en todos esos años no hubieran ocurrido muchos más accidentes en la pista de aterrizaje, que ni siquiera habían asfaltado y estaba rodeada de cabras que pastaban tranquilamente. Esa tragedia había desencajado su vida y la de su padre e hizo surgir a Rosalba en la de ambos.

¿Por qué no lloraba ahora al recordarlas? ¿Por qué no estaba hecho polvo como la mujer de su padre, cuyos sollozos percibía más allá de su habitación? Era difícil que alguien pudiese comprender su vacuidad afectiva. Ahora estaba definitivamente solo. Por delante no tenía otra cosa que un mañana incierto, una casa de madera y el bongo —Liliana II, la pequeña barca, había sido bautizada por Sebastián Rojas en recuerdo de su mujer—. Por todo el tiempo que le quedara de vida, pensó, debía continuar en las faenas pesqueras, unos pocos meses o años, aunque podían ser igualmente semanas u horas.

Al día siguiente, las mujeres iban y venían en el muelle con sus cargas de pampanitos, jureles, pejerreyes y corvinas, bultos y canastos con comestibles; algunos provenían del acorazado que había arribado pocas horas antes. Había marinos tocados con sus gorras que ostentaban el nombre del buque que yacía anclado a pocas millas de allí.

A pesar de haber dormido unas cuantas horas y con el sol ya despuntando en el horizonte, Damián sentía la cabeza pesada sobre los hombros. Era como si en su lugar le hubiesen encajado una mal ajustada escafandra que le impidiese respirar con holgura, y fue poco después cuando la desesperación lo empujó al repecho que conduce al mirador de Selkirk. Menos de una hora había tardado en cubrir los mil metros hasta la cumbre. Subía pronunciando palabras incoherentes, como un alienado. Hasta le pareció ver una sombra tras él siguiéndolo, y lo mismo le ocurrió al bajar; repetidas veces tuvo que volver la cabeza para cerciorarse de que iba solo. Era una presencia que resultaba muy familiar, quizás demasiado cercana y que parecía susurrarle algo incomprensible

Ya abajo, se encontró con el padre Cáceres, el franciscano que pronunciara los responsos en Juanango. Tenía un párpado caído debido a una parálisis facial. Una leve contracción iluminó su pómulo derecho.

—¿Vienes del mirador a estas horas? —preguntó—. ¿Acompañabas a algún turista?

—Subí solo.

El padre Cáceres vaciló unos segundos.

—¡Ya sé que estuviste en Juanango con Tomás y Ambrosio!

—Lo botamos en Punta Salinas —informó Damián.

—Bueno, comprendo lo que has hecho, hijo, y también que debo callarlo, aunque no sea correcto ni legal. Fue tu padre quien te lo pidió y eso es suficiente. La misa del domingo la dedicaré a él.

Después de despedirse, Damián volvió a su casa.

Los ojos de Rosalba estaban congestionados cuando los levantó para mirarlo. Sentada en un piso de madera, remendaba una red. Con voz apagada dijo:

—Ambrosio y Tomás me contaron todo. ¡Debiste dejarme ir! —recriminó de improviso—. ¡Debí ir en el bongo!, ¡me habría agachado para que no me vieran! ¡Era la última vez que podía besar a tu padre!

La miraba con ansiedad reprimida; todo le pareció de nuevo sin sentido. ¿Por qué no era su madre la que estaba en lugar de Rosalba? Pero no tenía madre. No tenía hermana. No tenía otra cosa que su soledad y su inexorable destino azul. Se acordó de lo que le pidiera su padre antes de expirar: que se ocupara de Rosalba, que no la dejara abandonada; y un acongojado sentimiento se apoderó de él.

—He pensado irme al continente —la oyó decir de pronto—. Marta, mi sobrina, está en Valparaíso; supongo que la recuerdas. Vendríamos a Robinson una vez al año, para el día de los muertos, a dejarle unas flores a tu padre, aunque no sé si en Juanango o en el mar.

—Puedes quedarte en esta casa y pedir a Marta que te acompañe. Soy yo quien debe irse.

—¿Irte? ¿Adónde?

—No lo sé; quiero salir de esta maldita isla donde se están muriendo todos.

—Da igual a donde vayas, Damián, y eso lo sabes.

Algunos alcatraces dejaron su huella en el azulado cielo; revolotearían después en torno al muelle de Cumberland.

—Puede que tengas razón, pero creo que terminaré yéndome… No quiero atarme a nada ni a nadie; así me costará menos dejarlo todo.

—¡Me sentiré perdida sola de nuevo sin tu padre y sin ti! ¡Aunque Marta me acompañe! Mi vida no tendrá sentido.

—Tomás y Ambrosio seguirán con el bongo —prosiguió Damián, como si no la hubiese escuchado—. Trabajarán para ti y para Marta. Se lo prometí a mi padre. Pondré todo a tu nombre. Me bastará con lo que haya en el banco.

—¡No llegarás muy lejos con eso!

—Mientras la peste no me agarre, no me costará mucho moverme de un lado a otro.

Rosalba lo miró sombríamente.

—Sí, ¡ya lo sabemos! No faltará quien te empuje, seguramente una mujer. ¡Lo leemos y escuchamos a cada rato! Es triste y vergonzoso.

Damián volvió la mirada hacia ella, una mirada inescrutable. Rosalba sentía miedo de tropezar con esos ojos, parecían herir como una navaja.

Varias veces lo había sorprendido hablando solo y pensaba que su cerebro estaba debilitándose. Sebastián le había encargado que lo llevara al médico, pero Damián rehusó cuando Rosalba trató de convencerlo; ¿habría costado expresar lo que bullía en su cabeza?, un caos confuso que lo desconcertaba. ¿Cómo podría explicar todo eso a alguien sin que lo tildaran de insano?

Tres días después resolvió salir de nuevo en la Liliana II, acompañado de Tomás y Ambrosio. Condujeron el bongo a Punta de Hueso de Ballena. Algunos marineros iban de pie en una torpedera, riendo y cantando como en diáfanos tiempos. Esa misma noche estarían en los bares de Cumberland alborotándolo todo o junto a las cuevas de Robinson acostándose con las turistas entre los árboles.

Tomás Leiva miraba a Damián de soslayo. Alargada como una piña, su cara tenía una expresión de ingenuidad asombrada.

Escasamente sabía leer y escribir, pero eran pocos los que le aventajaban en extraer langostas. Alto y entero, Ambrosio Araya ostentaba unas pupilas transparentes, entre azules y plomizas, que contrastaban en su tez mate. Tanto él como Tomás se iniciaron en las faenas de pesca junto a Sebastián Rojas, catorce años atrás. Damián era apenas un crío; ahora está convertido en un hombre, más alto que su padre. A ambos les había llamado la atención la taciturnidad que exhibía últimamente, un autismo que se había tornado más notorio después del deceso de su progenitor.

Tomás se ocupó de encender el brasero mientras Ambrosio descamaba unos pampanitos. Cuando estuvieron a punto, olorosos sobre las brasas, le ofrecieron uno a Damián, pero este lo rechazó.

—Si sigues así —sentenció Ambrosio Araya—, terminarás por enfermar de verdad. Rosalba nos dijo que apenas comes.

—¡Y que duermes menos! —reforzó Tomás—. El otro día oí que los que no estaban bien *comíos* se los llevaba la peste antes.

—¿Quién dijo esa lesera?[4] —preguntó Ambrosio.

—Lo escuché en el Rotterdam a un tipo que estaba tomando unos tragos. Era un caballero culto, de Guatemala.

El oleaje se había tornado agresivo y castigaba los flancos de la Liliana II. Unas bascas imprevistas aprisionaron el estómago de Damián. Estaba mareándose como un neófito y eso lo irritó. Más de una vez había llevado en el bongo con su padre a turistas que se empeñaban en presenciar una pesca de langostas, y ambos tenían que disimular la graciosidad que les procuraba verlos marearse hasta ponerse enfermos.

---

[4] Tontería en chileno.

—¡Ya se me pasará! —evadió ante una pregunta de Tomás.

Ayudó a halar las jaulas, que no tardaron en reaparecer en medio del oleaje, chorreantes, cargadas de langostas. Serían las últimas que sacarían hasta la primavera.

Damián no tenía ganas de hablar, pero de pronto, antes que la Liliana II arribara a Cumberland, se sorprendió mencionando a su padre y su propósito de abandonar la isla. Tomás y Ambrosio lo miraron aprensivamente.

—¿Estás seguro de lo que acabas de decir? —preguntó aquel.

—El bongo quedará con ustedes, lo dejaré por escrito... y se ocuparán de Rosalba. Es una promesa que debo cumplir... Es probable que venga del continente Marta, su sobrina, la que estuvo hace dos veranos.

—¿Puede saberse quién te metió la idea de dejar la isla? —inquirió Ambrosio Araya.

—No lo sé... —Damián tendió hacia el pescador una mirada confusa—. El otro día, cuando subí al mirador, sentí que mi padre iba conmigo y reconocí su voz. Me aconsejó que me fuera. Fue él.

Ambrosio, fingió estar sorprendido por el comentario y bajó la mirada hacia la superficie del agua como si fuese capaz de captar la escena del mirador reflejada en la espuma. Prefirió no hacer comentario alguno y afianzarse con sus curtidas manos al borde del bote.

Tomás detuvo el motor y una vez abarloada la embarcación en el muelle comenzó a descender de la misma para asegurarla con sus respectivos cabos de proa y popa. Un pedazo de pampanito se le había metido entre dos molares, fastidiándole, y comenzó a chasquear la lengua. Comenzaron a arrastrar las jaulas repletas de inquietas langostas en dirección al frigorífico, y Damián dirigió sus pasos a la casa. Ambrosio y Tomás decidieron alegrarse el día y tomarse unos tragos en el Rotterdam, el bar de Joost van Hanegem.

Sentados ante una mesa, vieron acercarse a Telma Luque, la camarera, a la que pidieron una jarra de *chicha*[5]. Luego de agotar los primeros vasos reconocieron al holandés moviéndose entre las mesas; alto y fornido, sus ojos se perdían en sus encarnadas y mofletudas mejillas. Joos había llegado a la isla en el 2016. Tres años antes había perdido a su mujer y sus dos hijos en un accidente, y un día decidió alejarse de Europa y tomó rumbo a América. De Rotterdam se dirigió a Curazao y luego al Amazonas. En Iquitos alguien lo animó a venir al Pacífico, donde eligió al azar la pequeña isla de Robinson Crusoe en el archipiélago de Juan Fernández.

—Creo que Damián no está bien de la cabeza —dijo Ambrosio Araya, mordisqueando su emparedado.

—¿Será cierto que piensa largarse?

—Yo creo que no sabe lo que dice. Debe estar enfermo.

—¿No será la peste?

—La peste no viene de esa laya. Lo tumba a uno de un viaje y lo llena de manchas azules… ¡Salud!

—¡Salud! ¡Por Damián…, para que se aliente!

---

[5] Bebida chilena a base de zumo de uva fermentado.

Eran pasadas las seis de la tarde y nevaba ligermente cuando Stig atravesaba el helado parque para dirigirse al bar Norshorning, situado en la amplia plaza de Fridhemsplan. Entró en el local y pidió una cerveza; había varios tipos bebiendo.

Mientras agotaba su cerveza acodado en la barra, se preguntó cuál era el motivo que había llevado a Lars a señalar ese apestoso sitio como punto de cita.

De un tiempo a esta parte, Lars parecía transformado. En los furtivos momentos en que estaban juntos, no podía ocultar un aire de irritada impaciencia, como si Stig fuera ajeno a su vida, y hasta sus caricias eran mecánicas. Stig había comenzado razonablemente a suponer que había sido desplazado por otro. Sin embargo, aquella vez que se atrevió a preguntarlo, Lars lo negó, fastidiado. ¡Stig había abandonado todo por él! Sus amantes anteriores le parecieron insignificantes después de haber conocido la avasalladora pasión que le entregara Lars, a quien admiraba no solo como hombre sino como pastor, como buceador de almas. En aquellas ocasiones en que iba a escucharlo a su parroquia de Malmö, sentíase traspasado por su verba cálida y profunda, como un fiel penitente en medio de los demás.

Faltaban veintidós minutos para las siete de la tarde. Lars lo había citado a las seis y Stig comenzó a inquietarse. Tenía ante él la tercera botella de cerveza; las imágenes circulaban a gran velocidad por su cerebro. ¿Qué se proponía decirle en este extraño *rendez-vous* en un bar del bullicioso barrio de Kungsholmen?

Al tiempo que vaciaba la botella, rodeado de otros bebedores, volvió a verse de niño en la escuela parroquial de Arvika, su pueblo natal, con sus calles nevadas y vidriosas por la escarcha y el viento revoloteando entre los abetos; su rostro reflejándose deformado en la superficie del lago Clara Elf. Fue en la primavera de 2021 —tenía apenas once años— cuando Gunnar Hpertonsson, que era dos años mayor, lo rodeó con sus brazos en aquella tarde de junio en Säffle, junto al lago Vänern, donde habían levantado un campamento de recreo. En los primeros instantes Stig quiso escapar, pero acabó cediendo a la turbulencia de ese juego. Al regresar a casa tres días después, se sintió dominado por un sentimiento culpable, pero comprendió que acababa de descubrir un mundo turbador. Empezó a reunirse con Gunnar a hurtadillas, temeroso de ser sorprendido, esclavizado ya por esa incipiente pasión clandestina.

Sven Erick Tornval, el padre de Stig, había fallecido en 2017. No teniendo más hermanos que Stina, se sintió desvalido y solitario junto a una madre llena de frustraciones y dolencias que se quejaba incesantemente de unas molestias articulares. Toda la vida de Margareta Tornaval giraba en torno a su enfermedad, y, como los médicos de Arvika no habían podido curarla, un día decidió irse a Estocolmo para buscar algún tratamiento que le funcionara. Había tratado de convencer a su hijo para que la acompañara y prosiguiera sus estudios en la capital sueca y así escapar de Arvika y del ponzoñoso Gunnar. Los barrios de la capital desprendían un fuerte olor a *pulao*[6] y brochetas de cordero, ya que esta ciudad albergaba la segunda mayor población de afganos a nivel mundial después de Kabul. Pocos rostros nórdicos se veían ya por sus calles. Stig se resistió al cambio, pero una disputa por celos con su joven amante lo impulsó a acceder.

Margareta Tornval alquiló un piso en Kammarkagatan y fue sometida a un tratamiento para su artritis, pero esa terapia no duró mucho: el 9 de marzo un autobús que hacía el trayecto entre Estocolmo y Arvika fue estrellado por un camión y, dado el fuerte impacto, las baterías de su coche eléctrico explotaron, lo que provocó que ambos vehículos ardieran en medio de la noche. Margareta Tornval figuraba entre las víctimas. El dolor y la incertidumbre se dejaron caer sobre Stig.

Stina le pidió que regresara a Arvika, donde Olof Rylander, un tipo calvo y bondadoso con el que se había casado su hermana y ella lo recibirían con afecto. Además, el joven pastor Börje Nyström, amigo de ambos, podía conseguirle un empleo en el ayuntamiento. Pero Stig no quiso volver, allí terminaría languideciendo. Había resuelto ingresar en la Escuela de Arte de Estocolmo, y se mudó de aquel piso que compartiera con su madre en Kammarkagatan para trasladarse como pensionista a casa de un matrimonio en el barrio de Nacka.

Valiéndose del pésame que le diera en los funerales de su madre, Gunnar intentó reconciliarse con Stig, pero este se había propuesto olvidarlo, al igual que a su pueblo natal. No le fue difícil esgrimir esa actitud despectiva; en la esplendorosa

---

[6] *Pulau, pilaf, pulaw* es un modo tradicional de cocinar el arroz, con hortalizas, carne de borrego o res, pollo o a veces pescado, y condimentos picantes. Se consume habitualmente acompañado de té.

capital sueca Stig había encontrado nuevas emociones, y uno tras otro comenzaron a surgir los que reemplazarían a Gunnar, más expertos que este, hasta llegar a la pasión más alta, la del pastor Lars Jansson, a quien conocería doce años después.

Al terminar en 2032 sus estudios de la Academia de Teatro —tenía veintiún años—, se incorporó a un conjunto de aficionados con los que actuó en un par de obras de vanguardia. Así fue como lo descubrió, en una improvisada sala de Vasterlangatan, el dramaturgo Dag Forslund, que entusiasmado le ofreció un papel para una obra en el Teatro Ambulante y, posteriormente, en el Dramatiska Teatern, del que acababa de ser nombrado director.

La primera pieza de este importante centro teatral sueco, *Tengo un regalo para ti*, de Dominique Revel, hizo converger la atención de algunos críticos hacia el nuevo actor; pero no fue sino la obra siguiente, *El tiempo enfermo*, la que permitió destacar sus destellos histriónicos. Los críticos lo saludaron con entusiasmo, sobre todo Thor Sigurdsen, un tipo alto que rondaba la treintena y que gustaba llevar gafas a pesar de que los tratamientos médicos las habían desterrado desde hacía ya muchos años, quien lo sacó del anonimato en una entrevista del tradicional *Svenska Dagbladet*. La edición en realidad virtual 3D de alta resolución donde se publicó, en la que se podían apreciar hasta los poros de la piel, causó furor por lo atractivo que resultaba para la mayoría de las mujeres y no pocos hombres.

Paralelamente a su prestigio comenzaron a crecer sus ingresos, y poco después Stig adquirió un espacioso departamento en Brahegatan, donde alternaba sus lecturas de arte y teatro con sus aventuras amorosas. En el desordenado encadenamiento de estas, solamente dos amantes perdurarían en sus recuerdos antes de que apareciera Lars: Svante Tuve y Uls Edstroem.

Svante Tuve era un pintor surrealista con una rojiza pelambrera y una mirada un tanto siniestra. Plácidas en un comienzo, esas relaciones atravesaban por ásperas etapas de celos, de dependencia afectiva y sensual, hasta que dos años más tarde, se desmoronaron. No obstante, casi por milagro, superaron rencores y decidieron continuar siendo amigos, pues tanto el uno como el otro admiraban sus respectivas inquietudes y tal vez era ese punto en el que mejor se entendían.

No transcurrió demasiado tiempo para que Stig encontrara a aquel que habría de reemplazarlo, y no fue preciso buscarlo muy lejos: estaba en el mismo escenario del Dramatiska. En efecto, Uls Edstroem, un joven de apolínea estampa, acababa de ingresar al elenco para hacer un papel insignificante. Era un tipo introvertido, dominado por depresiones y crisis de misticismo, y esas relaciones tampoco duraron mucho; a finales de 2038 Uls cayó en el escenario donde ensayaban el segundo acto de la obra *¿A dónde va nuestro planeta?* —*Var gar denna planet?*—, víctima de la peste azul, la primera del Dramatiska.

¿En qué momento surgió el pastor Jansson ante los ojos de Stig? No sería fácil para este olvidarlo.

Los aplausos llenaban la espaciosa y tradicional sala de Östermalm en el exclusivo barrio de Estocolmo del mismo nombre, celebraban su actuación en la obra *Las hienas*. Al finalizar el último acto, la figura del pastor se recortó en el camerino. Lars Jansson había sido conocido años atrás y aún era amigo del pastor Börje Nyström, cuando este fuera desde Arvika a Malmö a visitar a otro pastor, predecesor de Lars en la parroquia de esta última ciudad, y a través del pastor

Nyström conoció a Olof Rylander y, por consiguiente, a la hermana del actor. Fue así como Lars se unió al grupo de Arvika, llevando a su hermana Astrid, una atractiva mujer rubia, y al marido de esta.

—¡Has estado magnífico, nos has emocionado a todos! —Fueron las primeras palabras que Stig escuchó de Lars luego de ser presentados.

El actor se alegró de saber que era amigo del pastor de Arvika y que a través de él hubiese conocido a su hermana y cuñado. Los siete fueron más tarde a cenar al Korp, un restaurante de Sergels Torg en el corazón de Estocolmo.

Después de esto, todo fue simple y tormentoso a la vez; de una diáfana espontaneidad encadenada con crecientes emociones, pareció florecer una amistad en aquel inesperado reencuentro en una exposición de pintura de artistas espaciales en el Museo de Arte Moderno de Skeppsholmen. Stig dialogaba en un corro de artistas, entre los cuales estaba Svante Tuve y el crítico Thor Sigurdsen. Al ver aparecer al pastor, Stig salió a su encuentro, saludándolo con una cordialidad emocionada.

—¡No habíamos vuelto a vernos después de cenar juntos en el Korp! —exclamó el religioso—. *Las hienas* sigue exitosamente en cartelera, ¿verdad?

—Sí, es una obra que gusta mucho.

—Las críticas son elogiosas. El otro día leí una entrevista que te hicieron en el *Svenska Dagbladet*.

—Ahí está el culpable —señaló Stig—. Ven, te lo presentaré.

Lars Jansson estrechó la mano de Thor Sigurdsen e hizo lo mismo con los demás acompañantes, entre ellos un crítico de arte del *Aftontidnigen*, vespertino reaparecido en 2032 después de varios lustros de ausencia. Seguidamente Stig presentó a Lars a su examante, Svante Tuve, y a otra expositora: una joven pálida cuyo tono de piel quizás pudiera justificarse por haber estado residiendo casi un año en una estación espacial y cuyos cuadros reflejaban tales experiencias. Después, al quedar solos, decidieron ir a cenar al Aurora, un pintoresco *kallare*[7] de Gamla Stan, uno de los barrios más antiguos de Estocolmo. Pidieron, de común acuerdo, un descomunal plato de carne de ciervo sintética con remolachas y bebieron *akvavitt*[8] de aperitivo y abundante cerveza para degustarlo. Stig exhibió durante esas horas una alegría infantil; sus claros ojos penetraban en las facciones de Lars Jansson. La cabeza de este era de recios ángulos, el cabello de un color trigo y tonalidades cobrizas, con una entrada profunda, cual viril dentellado, en el parietal derecho; unos tatuajes con motivos tribales nórdicos que brillaban en la oscuridad le ocupaban ambos brazos. Además, estaba dotado de una gran inquietud artística y entendía bastante de pintura. En sus ratos libres solía esculpir en su pequeño taller de Malmö.

—Nada valioso, ¿sabes?; arcilla e inspiración —informó, troceando la apetitosa carne de ciervo cultivada—. Me permite liberarme de tensiones innecesarias. ¡Algún día puedo invitarte a ver esos mamarrachos! Tengo en Malmö mi parroquia, unos gansos y muchas plantas. Me agrada estar en un ambiente tranquilo, pero eso no me impide venir con frecuencia a Estocolmo, en helibús o en automóvil, aunque prefiero la vía marítima cuando dispongo de tiempo.

---

[7] Tradicionales restaurantes situados generalmente en sótanos.

[8] Aguardiente sueco.

—¡En barco hoy en día!, comentó Lars sorprendido

—¡Sí, comprendo que suena anacrónico!, ¡en pleno siglo XXI! Pero me gusta; además, me permite reflexionar mejor.

La amistad fue cobrando un ritmo de vibraciones inesperadas, tejida de inquietudes artísticas comunes, pero luego todo eso comenzó a virar enigmáticamente hasta adquirir un pasional vuelco. El ingreso de Lars en la órbita amatoria de Stig arrasó como un vendaval. Jamás, antes de conocerlo, había estado tan comprometido emocionalmente con un ser humano. Las imágenes de Gunnar Hpertonsson, de Svante Tuve y de Uls Edstroem se pulverizaron en sus recuerdos.

Algún tiempo atrás, el pastor había roto unos confusos lazos afectivos con Alwa Strömberg, una atractiva estudiante de sociología. Las explicaciones que confió a Stig eran un tanto vagas, pero la verdad es que casi todo en él lo era: hermético, el espíritu partido en dos, y aun en las más álgidas efusiones amorosas, parecía ausente. Fue a partir de ese período borrascoso, cargado de esclavitud y ansiedades, cuando las actuaciones de Stig adquirieron una turbadora fuerza, que más de un crítico destacó. Nunca fueron más cálidas las ovaciones en el Dramatiska Teatern, tanto para la obra *Las hienas* como para la que siguió después, *Nuestro fuego*, que antes que en Estocolmo fue representada en Gotemburgo. Durante ese alejamiento la ausencia de Lars gravitó en el ánimo del actor, afectando el brillo de sus actuaciones. Dormía poco, y en esas horas de insomnio lo asaetaban los celos, celos de no sabía qué, como le acaeciera con Svante Tuve y antes con Gunnar Hpertonsson. En esta etapa su afición al alcohol cobró nuevos ímpetus, aunque siguió bebiendo igualmente cuando el conjunto regresó a Estocolmo. Fue la anhelante mirada de Linn Borg, una actriz que había ingresado hacía poco al Dramatiska y que lo amaba en silencio, la primera que advirtió estos excesos.

Linn era una agraciada joven de poco más de veinte años. De sus rutilantes ojos, casi ocultos por un flequillo, fluía una expresión de ternura y asombro. Aunque ignoraba las inclinaciones íntimas de Stig, se descomponía cuando alguna admiradora, más abundantes cada vez, hacía llegar al actor alguna invitación o lo besaba desvergonzadamente. Stig sentía por ella un afecto compasivo. Le agradaba estar a su lado, oyéndola hablar de sus proyectos o de su infancia en Hyltebruk, y admiraba sus cortas y cálidas intervenciones en los papeles que le asignaban, arrancando frases de aprobación tanto de sus compañeros como del exigente Dag Forslund.

Más de una vez había advertido Linn la intemperancia de Stig, quien trataba de disimularla, no siempre con éxito. Una tarde, mientras se quitaba el maquillaje luego de su actuación en *Nuestro fuego*, se deslizó a su camarín y le dijo:

—Stig, Dios mío, ¿qué te ocurre? ¡Te has equivocado dos veces en el parlamento del primer acto! ¿Acaso no te sientes bien?

—Fue simplemente una distracción, Linn; nada más que eso, una distracción.

La actriz se quedó mirando una peluca que colgaba de un gancho.

—Dag estuvo haciendo unos comentarios —dijo al cabo de un rato.

—¡Que se vaya de paseo, él y su Dramatiska! Si quiere relevarme, puede hacerlo. Anda y díselo.

—¿Reemplazarte, Stig? ¡Nadie, créeme, nadie podría estar en tu sitio! —Se acercó a su lado. El actor la miraba a través del espejo, agresivamente incómodo—. ¡Stig!, ¡no quiero que te ocurra nada! ¡Ni Dag ni el Dramatiska podrán hacer mucho sin ti, menos aún en esta época de incertidumbre!

—¿Por qué te preocupas, Linn? Cualquier ser humano puede ser reemplazado.

Ella lo miró sin responder, agobiada por una súbita tristeza.

C on el índice de la mano derecha, Deborah oprimió la tecla número 7, la última de las ocho cifras, sosteniendo un vaso de *whisky* con la otra; bebió un sorbo antes de ver y oír a Barry Fletcher al otro lado de la línea.

—¡Por fin puedo dar contigo! —exclamó Deborah, apartando el vaso para que el televifón[9] proyectara un prístino holograma en torno al receptor.

—Pensé que todavía estabas en Houston —argumentó Barry—. Solamente hace dos días que regresé de Las Vegas.

—Traté de encontrarte allí, Barry, pero no lo logré.

El tono de su voz sonaba extraño en los oídos del cantante.

—¿Ocurre algo? —le preguntó.

—Nada importante, pero quisiera hablar contigo esta noche.

—Podríamos cenar en el Mariner. Paso a buscarte en media hora —propuso él.

—Es una buena idea, Barry. ¡Me encanta ese sitio!

---

[9] Aparato de última tecnología de comunicaciones que se puede utilizar por sí solo, proyectando imágenes holográficas y sonidos envolventes, o bien conectado a ciertas prótesis neurológicas que permiten ver y oír directamente en nuestro cerebro a nuestro interlocutor como si estuviésemos con él.

Después de colgar, Deborah se puso a evocar recuerdos. ¿Por qué había sido justamente Barry? Asediada por los hombres, pudo haber elegido a alguno de los jóvenes potentados que rodeaban su vida y la de su padre. Deborah era —deseándolo, a veces odiándolo— una apetecida heredera de una incalculable fortuna, y tal vez era esa la causa por la cual se escurría de sus pretendientes. Desconfiaba de ellos. ¡Era probable que solo anhelaran su dinero! Le costaba quitarse de encima la idea de un acoso sentimental que estuviese despojado de esa intención, y fue eso justamente lo que pareció vislumbrar en Barry.

El primer encuentro fue anodino: presentado por unos amigos comunes en Zuma Beach, Barry pareció ignorar lo que significaba su nombre, y durante muchos días Deborah estuvo preguntándose si realmente ignoraba que ella era nada menos que la hija de Lloyd Ferguson, el petrolero de Texas. Esa duda siguió rondándola aquella vez que, una semana más tarde, le oyó cantar en el Musical Center de Los Ángeles, pues ya repuntaba su nombre como artista. Deborah se sintió aliviada cuando después de algunos encuentros comprobó que Barry desconocía a Lloyd Ferguson, y fue eso lo que hizo que experimentara un mayor interés hacia él y enriqueció el amor que empezaba a unirlos. El resto del juego lo hizo el tiempo, el transcurrir de las horas, los días y los meses, la magia de las manos y las bocas unidas en un frenesí acelerado, los pequeños o grandes estallidos de celos, los insomnios, los aplausos, la atractiva estampa del cantante reproducida cada vez más profusamente en los Estados Unidos y fuera de ellos. Veíaseles juntos en California, Texas, Nueva York y otros estados. Más de alguien pensó que se trataba de un nuevo capricho de alguno de los dos, pero el golpe vino en diciembre de 2038, cuando diarios, revistas y todo Internet anunciaron el compromiso de la codiciada heredera con el artista. Periodistas y fotógrafos iniciaron un arduo asedio que pareció extraño en medio de las sombrías informaciones de la pandemia que ya se había extendido en la Unión.

Lloyd Ferguson acogió la noticia con alivio. Con treinta y dos años, su hija había protagonizado ya demasiados escándalos. Tres años atrás al señor Ferguson le pareció que Deborah sentaba al fin cabeza con su compromiso con Frank Saylor, un ejecutivo de la Digital Panamerican, de Chicago; pero tampoco eso fue duradero. Después, a comienzos de 2038, surgió el bullado asunto con Benson Ralston, el senador por el estado de Iowa, que a pesar de sus 59 años exhibía una deportiva apariencia juvenil, además de su capacidad oratoria y su influencia en la Casa Blanca. Fue durante lo que pareció un compromiso secreto con este cuando Deborah conoció a Barry Fletcher, y esa sonada relación se deshizo para dar paso a esta última conquista. Esta vez parecía definitivo; el rumoreado compromiso matrimonial de la heredera con el popular cantante. De esto hacía siete meses y la fecha de la boda se aproximaba. En un mes, el sábado 28 de agosto, Deborah descendería de su espectacular Saturn Linx, equipado con pila de hidrógeno, del brazo de su padre, frente a la iglesia Bautista de Hollywood, en Westmoreland con la Octava West, envuelta en una cascada de encajes, raso, perlas y brillantes.

Pero las circunstancias no eran las mismas que años atrás. ¿Cuántos estaban en condiciones de conmoverse ante una boda fastuosa, aunque fuese la de la hija de un magnate? Desde hacía varios meses la felicidad había ido desapareciendo no solo de California, sino del resto de la nación norteamericana. A nadie podía preocupar que todos los multimillonarios o ídolos artísticos se fuesen al diablo, se casaran o se murieran; cada cual estaba pendiente de su propio pellejo o del de los suyos, de los latidos de su sangre y sus seres amados. La vida y la muerte eran los temas que tenían prioridad en un sombrío mundo que avanzaba hacia su destrucción, una destrucción que había empezado con los hombres jóvenes; y Barry estaba entre ellos. No tenía sino veintiocho años y en cualquier momento podía convertirse en una víctima que engrosaría las cifras de bajas. Deborah estaba entonces condenada a vivir al lado de un cadáver potencial, un hermoso, atlético y admirado cadáver.

Todo esto y algo más iba reflexionando Deborah mientras bebía el último vaso de *whisky*, que coincidió con el ruido del vehículo en la puerta de la mansión; ya había pasado la media hora desde la llamada con Barry. Reconoció los pasos de la criada, que acudía en dirección al antejardín. No tardó este en iluminarse, al tiempo que el surtidor de agua esplendía también con inesperadas luminiscencias.

Unos minutos más tarde, Barry la vio surgir con un vestido color lila casi transparente y un tapado más oscuro sobre los hombros. Era una sofocante noche de fines de julio. Barry puso en marcha el motor y exclamó, mirándola conmovido:

—¡Estás bellísima! ¿Cuánto tiempo permaneciste en Houston?

—Dos o tres días; después fuimos a Nueva York con papá y Cybil.

—¿Cómo están?

—Mi padre con molestias cardíacas. Bueno, no se cuida mucho y se aburre un poco. ¡Y Cybil le deja hacer lo que quiere!

—¡Él, al menos, está a salvo!

—Es verdad, pero eso no lo alegra mucho, Barry.

Durante algunos minutos los envuelve un extraño silencio; parecen absortos en el concierto de Vivaldi que emerge de la radio. Ninguna noticia, un alivio que no durará mucho; luego surgirán muchas con letales estadísticas y advertencias inútiles. ¡El lejano Vivaldi amortiguando la tragedia universal!

Barry tenía impulsos de hacer muchas preguntas, pero decidió postergarlas hasta que estuvieran frente al mar. Sabía cómo se expandía Deborah ante el ruido de las olas; parecía transformarse en una niña. Detuvo el Lynx en Ocean Park Parking Pier, y no tardaron en estar sentados, uno frente al otro, en el Mariner, envueltos por la mortecina luz rojiza del restorán, cuyos ventanales inclinados descendían casi directamente al bullicioso océano. El robot camarero acudía una y otra vez a la mesa e incansablemente aguardaba el pedido por parte de la acaramelada pareja.

—¡Qué robot más pesado! —dijo Barry en un tono lo más discreto posible.

—¿Sabías que California fue el primer lugar del mundo en reconocer derechos laborales a estas máquinas?

—Lo peor del caso es que algunas asociaciones están presionando a las autoridades para que tengan derechos para adoptar niños humanos.

Barry, para sorpresa de Deborah, parecía ser un gran conocedor de estas cuestiones o quizás deseaba evitar conversaciones pendientes más profundas y continuó:

—Creo que esa propuesta se truncó cuando un robot nodriza que cuidaba a una familia se alió con el dron que los trasladaba a Marina del Rey simulando un accidente.

—¿No fue en el mismo sitio donde hace muchos años un jugador de baloncesto se estrelló con su helicóptero?

—Exactamente, el robot nodriza confesó que había prometido al dron su impecable reparación y renovación del procesador central por uno de mayor capacidad.

—¡Realmente increíble!

Uno de los mayores desafíos de la inteligencia artificial había sido limitar la innata tendencia de esta a volverse «demasiado humana», adquiriendo características de vulnerabilidad, sentirse vivos paradójicamente a través de aceptar la existencia de la muerte. Cada vez más frecuentemente miles de sistemas inteligentes tomaban la decisión final de apagarse definitivamente o, como lo llamamos los humanos, suicidarse. No dejaba de ser extraño que cuando las máquinas adquirían capacidad de elegir, de ser libres, la autodestrucción comenzaba a barajarse entre sus posibilidades de elección. En este caso, ambos acabaron su existencia convertidos en chatarra electrónica.

Por un momento quedaron mirándose como si trataran de leer en sus respectivas expresiones. Barry se apoderó de una mano de Deborah y trató de escudriñar en sus ojos.

—Todavía me mantienes intrigado por esa insistencia en ubicarme en Las Vegas —dijo por fin—. Me lo dijeron al regresar al hotel, pero cuando llamé a Houston, ya te habías marchado.

—Fui con papá a Nueva York, pero antes me detuve en Washington.

—¿En Washington? —Barry experimentó un confuso malestar.

Habían traído el *crabmeat* a la *newburg*[10] que ambos escogieran. La camarera destapó la helada botella de

---

[10] Plato a base de cangrejo aderezado con vino de Jerez y crema agria.

Chevelle, el vino francés predilecto de Deborah. Barry miraba su enigmático rostro, esperando que retomara el diálogo, puesto que había sido ella quien lo propusiera. Envueltas en resplandores fantasmagóricos, algunas parejas bailaban cerca de ellos.

—Quiero empezar diciendo que te amo —dijo Deborah; sostenía en la punta del tenedor un trozo de langostino—. Supongo que eso lo sabes, ¿verdad, Barry? Dentro de pocas semanas estaremos casados, quiero decir, deberíamos estarlo. —Condujo sin prisa el trozo de marisco a su boca y lo saboreó con lentitud—. Te quiero —repitió, antes que Barry dijera una palabra—, pero soy egoísta. ¡Siempre lo he sido! ¿O acaso no lo sabes? Me he educado así, malcriada, sin duda; quizá influyó mucho el divorcio de mis padres. Cierta vez me preguntaste si tenía miedo: te contesté que sí. ¡Y lo sigo teniendo, Barry!

Algunas risas estallaron en una mesa vecina. Las embarcaciones, los lujosos yates, yacían alineados junto al muelle con sus tenues y misteriosas lucecillas.

—Voy a cumplir 33 años —prosiguió Deborah—. Tú eres bastante menor que yo, pero no podría soportar la idea… ¿comprendes? ¡Mi egoísmo es más fuerte que mi amor! Perdóname, pero no debemos casarnos, Barry… ¡Fue por eso que quise decírtelo ahora! ¡O tal vez lo hubiera dicho por el televifón si hubiese dado contigo en Las Vegas! Pero me alegro de no haberte encontrado. Era mejor así, frente a frente.

—¡Me cuesta entender lo que estás hablando! —la interrumpió Barry; su voz hacía recordar el disparo de un arma.

—He estado pensando en estos últimos días, Barry, y créeme, no podría soportar verte morir. ¡No podría, Barry!

—Deborah, ¡yo me encuentro perfectamente! Además, ¡no todos estamos condenados!

—¡La peste arrasará con todos! Lo leí en la revista *Destiny* y también en el *Times* de Los Ángeles. ¡Eran las palabras de un científico! ¡Todos, Barry!, ¿entiendes? ¡Solo quedaremos las mujeres y los viejos!

Barry dejó violentamente la copa sobre la mesa; algunas gotas de vino salpicaron el plato que apenas había probado.

—¿Quieres decir... —pregunta con voz temblorosa— que prefieres abandonarme... porque mañana puedo estar muerto? ¿Dónde diablos está tu amor? —casi gritó—, ¿en qué maldito planeta descansa?

Algunos de los que estaban cerca dejaron de reír y Deborah comprendió que había elegido un mal momento y un mal lugar para desahogarse, pero ya era demasiado tarde; y aunque Barry había bajado el tono, siguió envolviéndola con preguntas y recriminaciones. Abrumada, se limitó a pedirle que no se exaltase, y lo miró con una ternura que parecía recién inventada. Lo tragicómico del caso es que Barry se había implantado hacía tan solo quince días una prótesis neurohíbrida para estar permanentemente conectado emocionalmente con su amada. Una auténtica Maxrim[11] de nueva generación de la que se decía que con la última actualización se podían compartir orgasmos e incluso almacenarlos para volver a disfrutarlos cuantas veces se quisiera. Todavía se notaba en el cuero cabelludo una discreta cicatriz producto de la incisión. ¡Era un acto de amor superior el haber modificado su propio cerebro!, ahora para nada.

—¿Puedes ofrecerme un poco más de vino, Barry? —imploró con una artificial coquetería conciliadora.

---

[11] Prótesis subcutánea entre cuero cabelludo y cráneo que estimula mediante campos magnéticos focalizados distintas estructuras cerebrales, entre ellas cierta zona del tallo cerebral que regula los orgasmos.

Barry le llenó la copa, mirándola con una especie de perplejidad. La evocó aprisionada entre sus brazos («Barry, ¡pareces un oso, un adorable osito cargado de fuego!»), repitiendo su amor volcánico y su fidelidad. Recordó sus gemidos de amor y sus celos («¡Me da miedo que te enamores de otra más joven, que me reemplaces!»). Le costaba comprender esto que le parecía un mal sueño: el Mariner con esa lacerante sinfonía, los yates del amor en la oscuridad, la maldita peste, todo. Entendió que lo que acababa de oír tenía una terrible e implacable lógica. No podía dejar de pensar que cada hora morían repentina o lentamente cientos y miles de hombres jóvenes en el mundo, pero como millones de otros pensaba que esa muerte estaba destinada a los demás y nunca a uno mismo.

Esperó a que Deborah abandonara la copa para hablar en un tono que pareció recuperar momentáneamente la cordura.

—¿Qué piensas hacer realmente, Deborah? ¿Puedes decírmelo?

—Me casaré con Benson Ralston —dijo, mirándolo con firmeza.

—¿Ralston? ¿El senador Benson Ralston? Supongo que no estás hablando en serio.

—Sí, lo estoy.

Estalló un nuevo silencio. Uno de los yates comenzó a deslizarse lentamente.

—¿Lo amas? —preguntó con ferocidad reprimida.

—¡Por supuesto que no! Creí quererlo poco antes de conocerte. Pero lo admiro. Admiro su inteligencia, su alegría de vivir… y varias cosas más. ¿Qué importancia puede tener esto ahora, Barry? ¡Tiene veinticinco años más que yo! Pero al menos…

—¡Al menos… él estará a salvo!

—Exactamente, Barry.

El último plato que proporcionó el robot permaneció en la mesa sin que ninguno de los dos lo tocara. Deborah pidió una nueva botella de Chevelle; parecía lo único apetecible en ese momento. Una música agresiva se expandía en el recinto, y Barry tuvo la impresión de que su sentencia de muerte se había decidido en ese momento.

—Supongo que debo esforzarme por aparecer sereno y elegante en estos momentos en que, entre un sorbo de vino y otro, haces cambiar nuestro destino. Eres como un dios, como una maldita diosa que impone sus designios. Además… presumo que esta ha de ser nuestra última cena.

—Así es, Barry —dijo Deborah, casi impúdicamente—, pero creo que es mejor. Por ti y por mí. —Hizo un esfuerzo por suavizar la voz—. ¡Por todos, Barry, por todos!

Una semana más tarde, comenzó a caer la primera lluvia en Robinson Crusoe, pero la temperatura no descendió de los catorce grados. Eran pasadas las cinco de la tarde cuando, desde la cooperativa, Damián se dirigió a la taberna Rotterdam, enclavada entre la estación de radio de la Armada y la biblioteca Pablo Neruda. Jaraneros grupos de marinos, pescadores y turistas colmaban las mesas cubiertas con manteles de flores, varias mujeres entre ellos, con sus modernas vestimentas salpicadas con emblemas de la peste. Damián escogió una mesa distante y vio acercarse a Telma Luque, la camarera.

—No te veía desde la misa del domingo —dijo esta, después de saludarlo—. Comulgué con Rosalba y recé por tu padre.

—Te lo agradezco. —La miró con aire cansado; le dolía la cabeza—. Tráeme una lata de Tuborg.

La vio volver dos veces más, y cuando hubo agotado la tercera cerveza, le pareció que las risas circundantes se fragmentaban en torno suyo. Más allá, en una mesa cercana a la suya, un tipo rubio bebía un vaso de vino ajeno a la creciente bullanga. Una muchacha alemana reía enseñando el tatuaje de su antebrazo, una calavera azul atravesada por una daga. Damián experimentó incontenibles impulsos de hacerla callar o de escapar como un coatí y subir hasta el cerro El Yunque sin parar, aliviado, tal vez, por el cansancio... Vio a Joost van Hanegem entremezclarse con los bullangueros grupos de las mesas y aceptar un vaso de vino que le ofrecía el rubio forastero. Más tarde Joost se puso de pie, pero en lugar de dirigirse al mesón se acercó adonde estaba él y ocupó una silla a su lado.

—Estuve en la misa dedicada a tu padre. Me conmovió la prédica del padre Cáceres —arrastraba las erres al hablar.

—Te agradezco que hayas asistido, Joost.

—Fue una bonita misa, y mucha pena. ¿Tienes libre tu bongo? —preguntó de improviso. Damián alzó hacia él sus ojos taciturnos. Señalando la mesa que acababa de abandonar, Joost agregó—: Te lo pregunto... por si te animas a llevar a ese tipo al hotel Coatí. A estas horas no tiene cómo volver.

—No tengo ganas de trabajar, Joost. En el muelle habrá alguien que pueda llevarlo.

El tabernero se pasó una mano por el rubicundo rostro; sus ojos celestes parecían inmersos en sus abultados párpados.

—Es un buen muchacho, es una lástima... ¡Te pagará bien!

—¿Qué importa lo que pueda pagarme? —su voz sonó despectiva. Sorprendió los ojos del holandés en los suyos—. Discúlpame, estoy cansado... Dile que lo llevaré gratis. ¿Qué idioma habla?

—Francés. Estará solo unos días en la isla; después seguirá a Australia.

Van Hanegem se acercó de nuevo al forastero y luego ambos ocuparon una silla junto a Damián. El extranjero tiene un rostro atractivo y el pelo dorado, y una moderna grabadora y varios implementos fotográficos cuelgan de su hombro.

—Mi nombre es Alain —dice el desconocido. Se expresa en español con mareado acento gálico—. Joost me ha dicho… que puedes llevarme al hotel. Te lo agradezco.

El bullicio ha aumentado en el Rotterdam. Una obesa alemana ha reemplazado la canción anterior por otras, entre ellas *Martes azul*, y, al hacerlo, un corro multilingüe la rodea aparatosamente. Sus opulentas nalgas están ceñidas por pantalones ajustados.

—Me parece que están todos borrachos —comenta Alain.

Al salir por la puerta batiente, Damián se da cuenta de que se halla más mareado de lo que suponía. Una fresca garúa otoñal terminará despabilándolo.

—Me gusta cuando llueve —oye decir a su acompañante—. En otros países suele caer una lluvia caliente.

El peso de las cámaras lo obliga a inclinarse. Damián descubre la presencia de Ambrosio, que cambia el aceite al motor de la Liliana II. Junto a esta, en la arena, descansan las jaulas, húmedas aún, rodeadas por inertes látigos de cochayuyo.

—Voy a llevar al Coatí a este turista —informa—; volveré en un par de horas.

Entre ambos jalan el bongo hasta la orilla y el forastero ocupa el lugar de la proa. Mientras rumbean en dirección a Puerto Francés, el cielo comienza a despejarse. Rodeada de titilantes estrellas, la Cruz del Sur emerge sobre la felpa del cielo.

P ero he aquí que ahora, desde hacía unas semanas, todo ese edificio de ilusiones parecía a punto de desmoronarse para el actor Stig Tornval. ¡Y no sabía por qué! ¿Lo sabría por fin ahora, dentro de unos momentos?

El instante pareció surgir al beber la cuarta botella de cerveza, apoyado aún en la barra del Norshörning, cuando vio aparecer a Lars. Le oyó dar unas explicaciones acerca de su retraso, sugiriéndole ir en busca de una mesa. El actor dejó su bebida y lo siguió por la estrecha escalera que conducía a la planta superior, donde varios bebedores conversaban exaltados. Había una escacharrada lámpara cubierta por un deteriorado mantel, pero algo extrañamente acogedor gravitaba, sin embargo, en aquel recinto. Un rincón para enamorados. A través de los empañados cristales se alcanzaba a distinguir el descarnado follaje del Pontojär Parken.

—He escogido este sitio para que actuemos más razonablemente —dijo el pastor Jannson.

Stig lo miró con sombría cautela, oprimido por un angustioso presentimiento: en su maldita sensibilidad existía como una anticipación premonitoria del sufrimiento, que casi nunca erraba.

—Este será nuestro último encuentro, Stig —prosiguió Lars con un tono de voz insufriblemente afectuoso.

Stig palideció y las palabras parecieron ahogarlo cuando empezó a pronunciarlas de forma precipitada:

—¿Quieres destruir lo nuestro, Lars? ¿Puedes decirme por qué? —Las cuatro botellas de cerveza y la quinta que le traía el camarero comenzaban a fustigarlo.

Lars se preguntó si no había cometido un error al escoger este sitio. Había hecho esfuerzos por conducirlo a un terreno donde dos personas cultas pudieran mantener una dialéctica calmada.

—Todos cambiamos cada día y a cada momento, Stig —argumentó—, con mayor razón desde hace ocho meses.

—¡No te entiendo! —gruñó Stig.

—Sí, por supuesto que me entiendes. ¿Hay alguien que pueda quedar indiferente frente a esta carnicería joven? En menos de tres semanas, mientras andabais en gira, han muerto dos seres queridos, y creo que ya lo sabes. Primero fue mi sobrino de diecisiete años, y tres días más tarde su padre chocó en su automóvil. Fue un suicidio. Mi cuñado era un brillante arquitecto. Tal vez no pudo soportar el golpe. Supongo que lo recuerdas.

—Naturalmente. Fue cuando nos conocimos. Cenamos juntos en el Korp.

—¡Eran dos seres llenos de vida, Stig! Astrid ha quedado sola ahora. Solo con Sea, mi única sobrina.

—¡Sabes lo que lo he sentido, Lars! ¿Pero qué relación tiene todo eso con…? —Se detuvo sofocado, e, indefenso, se limitó a escuchar los argumentos de su amante.

—Mañana… nos tocará a cualquiera de los dos —decía Lars—. ¡Estamos todos comprometidos en este nuevo destino, Stig!

—¡Tú estás al borde de la salvación!

—Eso solo lo sabe Dios…

—¿Y bien…?, te he preguntado qué tiene que ver toda esa desgracia con que mañana tú o yo caigamos, como tu cuñado o tu sobrino… ¿Tiene algo que ver con nuestro afecto? ¡Motivos más fuertes para estar juntos! ¡Los que aman no desertan, Lars! A menos que tu amor hacia mí…

—Mi amor hacia ti ha cambiado. ¡Recuerda que soy religioso! Por lo tanto, debes comprender que me atormenta un terrible sentimiento de culpa. Esta epidemia nos acerca a Dios y es una advertencia, Stig: estábamos apartados de Él.

Lars recordaba con preocupación, cada vez que le fallaba la fe, aquel atentado biológico de dos neurovirólogos del MIT[12]. Cuando se encontraban estudiando el tratamiento de ciertas enfermedades mentales y trastornos de la personalidad mediante la utilización de virus cómo vehículos de modificación neuronal descubrieron, accidentalmente, como tantas veces sucede en ciencias, un gen que se podía activar o apagar y que modificaba las percepciones espirituales y religiosas generadas en el lóbulo temporal derecho del cerebro. Ni cortos ni perezosos, estos dos ateos fundamentalistas liberaron en un bar cerca del hospital Berenson Allen en Boston un par de viales tan solo rozando la bandeja dónde se apilaban los vasos de cristal que, bocabajo, esperaban ser vertidos con la cerveza del próximo cliente. La epidemia que tan solo se expresaba con la falta de fe en aquellos que eran contagiados vació de fieles, en pocas

---

[12] Instituto Tecnológico de Massachusetts.

semanas, las iglesias y templos de prácticamente toda la costa este de Estados Unidos.

El suicidio de los padres de uno de los virólogos, que practicaban su religión con profunda fe y sintieron en el abandono de Dios, llevo a este a denunciar a su compañero a las autoridades locales.. Aunque se creó rápidamente una vacuna, escasos fueron los que quisieron aplicársela entre los pocos que todavía cultivaban algún tipo de espiritualidad en Occidente. En el mundo musulmán, los saudíes y otros ulemas de Oriente Medio prácticamente impusieron la obligatoriedad de su administración, particularmente entre los más pequeños y recién nacidos, pues para muchos creyentes cultivar una vida espiritual es más difícil que llevar una inteligente.

Una áspera sonrisa recorrió los músculos del actor.

—¡No creo que estés convencido de lo que acabas de decir, Lars! —Apuró el resto de cerveza y detuvo la vista en los petrificados árboles de Pantojär Parken—. ¡Si fuera como dices, no estarían cayendo cientos y miles que no tienen mucho que ver con la maldad! ¡Es insensato! Eso no puede ser designio de Dios.

—No blasfemes, Stig. ¡Nadie puede escudriñar los designios divinos! Son impenetrables, simplemente.

—¡Estás hablando como en tu parroquia de Malmö, Lars!

Su cerebro arremolinaba las ideas, lacerantes, tóxicas, y sin quererlo, recordó a Gunnar Hpertonsson cuando una vez lo humillara de forma parecida en la plaza de Arvika; sí, ambas humillaciones parecían superponerse. Tal vez contribuía a su malestar esa fastidiosa pirosis que emergía de su estómago, y se lamentó de no haber traído las tabletas de antiácidos.

—¿Y qué piensas hacer ahora? —agregó Stig—. ¿Entrar en un monasterio o caminar descalzo por las calles como una expiación, pregonando la filosofía de última hora?

—No es necesario que te exaltes, Stig.

—¡Has dicho que piensas dejarme! Acabo de oírlo. ¿Puedo saber por qué o por quién?

Lars apartó su vaso de cerveza; apenas la había probado.

—He vuelto con Alwa —dijo con voz neutra.

—¿Con Alwa?

—Sí, Alwa Strömberg. Te hablé de ella alguna vez. Estuvimos a punto de casarnos hace varios años. La dejé por ti, Stig. ¡Me he dado cuenta de que la amo, y la necesito! La amé desde que la conocí.

Stig le lanzó una mirada cáustica, abrumado por una volcánica fumarola de despecho y humillación.

—Temo que estoy entendiéndote mal, Lars —dijo con voz corrosiva—. He bebido demasiada cerveza antes de que tú llegaras; pero si has dicho exactamente lo que me parece haber oído..., estimo que eres un hipócrita. Vuelves a esa Alwa con el mismo impulso con que iniciaste tus relaciones con ella: para enmascarar la verdad, ¡para engañarte a ti mismo y a los que te rodean! Para disimular ante el mundo lo que verdaderamente eres, ¡lo que tú y yo sabemos!

El pastor se encontraba preparado para esta reacción. Stig era impulsivo, tenía dinamita en el alma. En los momentos de furor del segundo acto de *El tiempo enfermo* y en el parlamento final de *Las hienas*, el público asistía a su cólera y se agarraba a la butaca. Lars comprendió que tenía que afrontar este vendaval y dejó que se desahogara, pero el tono cada vez más exaltado de Stig hizo que algunos bebedores se dieran la vuelta. Siguió apabullando a su amante, repitiendo, una tras otra, explosivas palabras que parecían resbalar por la piel y la conciencia de Lars. Este comprendió que tenía que hacer esfuerzos por mantener la serenidad: se trataba del epílogo, la última escena que, de todos modos, aquí o en otra parte estaba condenada a producirse.

—Si me abandonas, me hundiré, Lars —le oyó argumentar como un cansado luchador que lanza la última arremetida—. Eso lo sabes, Lars, y serás el culpable de ello —agregó, en un lamentable esfuerzo por arrancarlo de su imperturbabilidad; pero el pastor se limitó a apretarle la mano, no supo si impelido por el temor o la compasión.

—Créeme, ¡será todo lo contrario! Si esta determinación te produce tristeza, eso permitirá que la sublimes, creando más intensamente. ¡Serás más brillante que nunca, Stig, y encontrarás, tal vez, un amor más perdurable que el mío!

—¿Crees que podrás acariciar a Alwa y poseerla... y ser feliz con ella... después de lo nuestro?

—Lo haré. Lo he hecho otras veces antes de conocerte, y eso lo sabes. ¡Necesito un hogar, hijos! ¡Nuestro mundo se desploma, Stig! Mañana podemos estar muertos. ¡Necesito algo que quede de mí!

—¿Y bien? ¿Si solamente es por eso?

—¡No es solo por eso! Te repito que la amo. —Hizo esfuerzos por amortiguar la voz, añadiendo con tono fatigado—: A ti también te he querido, no puedo negarlo. El alma humana es demasiado compleja para poder explicarlo fácilmente. Quiero seguir siendo tu amigo, Stig.

Este sonrió; era una sonrisa moldeada en cartón, hecha a navajazos.

—No me has consultado para eso, Lars. Soy tu amante, lo hemos sido durante mucho tiempo… mucho tiempo para mí, tal vez no para ti… Estos ocho meses de nuestro amor han sido como ocho años de mi vida… ¡y no será fácil romperlos! La amistad que me ofreces es una limosna de última hora, dictada por tu remordimiento. Déjame una sola cosa para decirte al final, Lars: no tardarás en lamentar esta decisión.

El pastor lo miró sorprendido. Con voz desafiante replicó:

—Si de alguien tengo que arrepentirme, Stig, es de Dios, solamente de Él… y de su furia.

andy Austin era una joven rubia de veintiún años; sus altos pómulos resaltaban sobre la pálida, casi transparente piel de sus mejillas salpicadas de atractivas pecas. Tenía un busto pequeño y túrgido, las caderas un poco anchas y las piernas arqueadas, porque desde muy niña montaba en el rancho de su abuelo, en Wickeburg. No era especialmente inteligente a pesar de los caros suplementos neurológicos que le habían suministrado sus padres desde pequeña. Tampoco las discretas extensiones de memoria que se había implantado debajo de la piel en la zona retroauricular, que ninguno de los pocos chicos con los que se había castamente relacionado había sido capaz de percibir, habían disparado su éxito profesional. Trabajaba en la Olimpic Recording de Los Ángeles, y allí había conocido y se había enamorado de Barry Fletcher. Debieron transcurrir varias semanas y muchas idas y venidas del cantante a la importante editora musical antes de que este advirtiera sus tímidas miradas. Ese misterioso juego se precipitó una tarde de lluvia, en la primavera de 2038, cuando Sandy subió al automóvil deportivo del artista, un Daffodil termoeléctrico, y aceptó tomar una copa en su departamento de Wilshire Boulevard, frente a Lafayette Park. Fue allí donde Sandy entregó su cuerpo por primera vez a un hombre.

Barry Fletcher parecía incrédulo. Estaba convencido de que habían desaparecido las vírgenes del mundo y, sin proponérselo, Sandy adquirió contornos de encanto y pureza en medio de otros atractivos cuerpos que diariamente se le ofrecían, antes y después de la aparición de la peste azul. No obstante, Barry dejó de verla después de conocer a Deborah Ferguson, lo que constituyó un largo sufrimiento para Sandy. ¿No era, sin embargo, un lógico epílogo? Aunque joven y atractiva, no era más que una anodina secretaria entre las miles que hormigueaban en la gran ciudad. Por otra parte, Barry Fletcher estaba aureolado por una incipiente fama y en la misma editora consideraban su voz como la más comercial de los últimos decenios. Sandy guardaría con unción el recuerdo de este idilio de cuatro semanas, cuatro semanas que bastarían para justificar su vida amorosa, un secreto que no quiso confiar a nadie.

La súbita caída de un rayo le habría parecido menos sorpresiva a Sandy que aquella llamada que recibiera a comienzos de septiembre, catorce meses después de que Barry desapareciera de su vida.

—¿Estás libre, Sandy? —Fue lo único que, discretamente, le preguntó al otro lado de la línea.

No podía creerlo. Si no estuviese viéndolo y escuchándolo habría pensado que era una fantasía.

—Por supuesto que estoy libre para ti, Barry —pudo decir finalmente—. ¡Para ti lo estaré siempre! ¿Te ocurre algo?

—Quisiera cenar contigo, Sandy.

Al apagarse el televifón y desaparecer la figura holográfica del cantante. Su compañera de trabajo, observó que tenía los ojos húmedos. Parecía realmente anonadada. Inclinándose a ella le dijo, con acento confidencial:

—¡Me imagino lo que sientes, Sandy! No quiero preguntarte nada, pero déjame decirte que... no creo que puedas seguir concentrándote en la correspondencia hasta las 5 de la tarde... Yo la terminaré por ti...

Dos horas después, Barry detenía su Lynx en la puerta de la editora, en Cypress, cerca de Stanton. Un vestido color crema ceñía el cuerpo exento de ropa interior de Sandy; Barry la miró con expresión arrobada.

—¡Es como si el tiempo no hubiera pasado... o retrocedido! —atinó a decir al cabo de un rato—. ¡Estás realmente hermosa, Sandy! ¿Dónde te gustaría cenar?

—¿Dónde? ¡Donde quieras!

Barry enfiló el Lynx en dirección al *freeway*[13] de Foothill y Pasadena y empalmó de nuevo vía *hyperloop*[14] a Santa Mónica en pos de ese acogedor sitio donde había estado un par de veces, en Playa del Rey. Sandy no se atrevía a preguntar nada. «¿Es posible que esté a mi lado, como antes? Todavía no comprendo por qué me ha llamado». Se esforzaba por evitar los impulsos que la arrastrarían a construir nuevas ilusiones.

—He roto mi compromiso con Deborah —oyó decir a Barry—. Hace ya un mes —El piloto automático le permitía desviar la atención de la carretera—. ¡No sé cómo no ha aparecido en los medios informativos! Bueno, ya te enterarás, si es que todavía disponen de espacio para ocuparse de asuntos frívolos. —Sandy lo miraba enmudecida—. Bueno, creo que de todos modos fue lo suficientemente franca. Dijo que tenía miedo al futuro, a mi futuro. ¡Mis veintiocho años no le ofrecen garantía de felicidad! Y temo que tenga razón.

---

[13] Autopista.

[14] Modo de transporte de pasajeros mediante un diseño de vagones en tubos al vacío.

—Dios mío, ¿cómo puede tenerla? —Parecía enfrentada a Deborah—. ¿Es posible que te haya dejado por eso? ¿Ignora acaso lo que es el amor?

—Esa es su manera de concebirlo.

—¡Barry! —Abrumada, apoyó la cabeza en el hombro del cantante—. ¡Eso es un error, una felonía! Dios mío, ¡no sé cómo llamarlo! ¡No debió hacerte eso! ¡No lo mereces, Barry! ¿Tú la querías, verdad…, la quieres? —rectificó.

—Desgraciadamente, tengo que decir que sí. Eso ocurre cuando a uno lo dejan de querer. El ser humano es contradictorio.

—¡Aunque estuvieses agónico!, Barry, aunque… —se detuvo asustada.

Barry sintió deseos de besarla, y así lo hizo, al tiempo que el Lynx continuaba su discurrir con el autopiloto. La besaba apasionadamente y le pareció que era la primera vez, como cuando ella le entregara su pureza en Wilshire Boulevard. Jamás Sandy había pedido nada, y Barry recordó aquella vez en que rechazara un cheque por 25 000 dólares que le hiciera llegar cuando se enteró de que tenía a su madre enferma en Arizona; el cheque estaba junto a unas orquídeas, pero Sandy retuvo solamente estas y devolvió aquel, y le dijo: «Me haría daño ese dinero que enturbia la belleza de mi amor hacia ti. Las orquídeas en cambio, aunque se marchiten, estarán eternamente en mi alma». «¿Es posible que existan mujeres así, en pleno siglo XXI?», pensaba Barry después.

A semejanza del Mariner, donde cenara por última vez con Deborah, el Sea Food Inn, de Playa del Rey, a pocas millas de distancia, era más reducido. Junto al comedor había una pequeña pista de baile. Dominado aún por el recuerdo y la humillación a que lo había conducido Deborah Ferguson, Barry se puso a beber de forma excesiva, y Sandy trató, tímidamente, de frenarlo.

—¡Temo que sé por qué lo haces, Barry! —aventuró—; me da mucha pena.

—No es por lo que piensas, Sandy. Bebo para despedirme de la vida, como esos. Lo único que se necesita son unos buenos sorbos de algo que me anestesie.

—¿Es verdad que actuarás de nuevo?

—Sí, es posible… Vincent Mac Lain, tú lo conoces, está tentándome para programar una gira. ¡Podría llevarte conmigo! ¿Te agrada la idea?

—Sí, mucho, Barry, pero no creo que sea posible. Mi madre no sigue bien. Tengo que ir a verla con frecuencia.

Sandy estaba dichosa de tenerlo a su lado, aun sabiendo que al día siguiente estaría de nuevo lejos. Tenía conciencia de que todo discurría en un mundo caótico, donde mujeres y hombres se debatían en una indefensa y enrarecida atmósfera.

Eran pasadas las dos de la madrugada cuando abandonaron el Sea Food Inn, y una hora más tarde, en el acogedor piso de Wilshire Boulevard, Barry comenzó a desnudarla hasta sentir en sus manos los duros pechos, una piel tibia y maternal destinada a liberarlo de la pandemia y de la obsesión de Deborah. Previamente había activado su implante cerebral que estimulaba áreas cerebrales sexuales y, a la vez, inhibía la llegada del orgasmo para alargar el placer. La existencia de ese plus instalado en su *interface* era desconocida para todas sus parejas y Barry siempre había temido un fallo del aparato en el momento más inoportuno.

Sandy se aferraba al cuerpo de su amante con una felina desesperación, arrancando de él y Barry de ella, una voluptuosidad creciente, y cuando la fatiga los derrumbó en el desordenado lecho, la expresión de ambos parecía transfigurada.

—¡Me has hecho feliz, Barry! —susurró ella, desfallecida.

—¡Tal vez debamos culpar un poco al vino o debo estar ya atacado por la peste! No tengo, que yo sepa, manchas azules en la piel, pero esta actividad que he desplegado contigo, me obliga a sospecharlo… ¿No lo sabes, acaso?

—Sí, he leído que la enfermedad aumenta la libido, ¡pero eso no ocurre hasta que el enfermo está agónico!

—Debo estarlo, Sandy. ¡Agónico de ti!

Sí, ciertamente, ni las páginas de los periódicos digitales ni las revistas ni las pantallas de cine y televisión tenían demasiado entusiasmo para ocuparse del frívolo acontecer del mundo. Las informaciones acerca de la pandemia habían desplazado a las demás. No faltaron, empero, las publicaciones que destacaron la noticia de la ruptura del compromiso del cantante con Deborah Ferguson. Las explicaciones o conjeturas eran variadas, pero ninguna de ellas tenía mucho que ver con lo que había ocurrido en realidad. Gradualmente, sin embargo, como todo, esa noticia escandalosa o sensacional en otros tiempos fue perdiéndose en el olvido, o así, al menos, le pareció a Barry.

En este ambiente de rumores y enredos, su agente artístico, Vincent Mac Lain, preocupado por lo notorio del abatimiento en que había caído el cantante, vigorizó sus esfuerzos por convencerlo para iniciar la postergada gira. Eso sería, le aseguró, la mejor manera de demostrar a la versátil Deborah que su ánimo no se había quebrado. Paul Mills, el pianista que junto a los siete restantes componentes de la orquesta acompañaba a Barry a todas sus actuaciones, apoyó la idea de Mac Lain.

—¡Servirá también para que te alejes de California un tiempo!

—¿Solamente de California? —estalló Barry—. Quisiera olvidarme por un tiempo que he nacido en este decadente país.

Parecía flotar en una atmósfera enrarecida donde la desolación y la muerte reemplazaban la alegría de otros tiempos. Esta gira por algunos países de Europa y el Oriente sería, al menos, una justificación razonable para alejarse de Deborah y de su recuerdo. Le habría gustado estar tan enamorado de Sandy como de Deborah. El abnegado amor de aquella no le procuraba, sin embargo, la misma felicidad. Amaba su cuerpo, su ternura, sus silencios, las pecas de su rostro de niña, pero tal vez todo eso y algo más lo apartaban paradojalmente de ella. Le faltaba sufrir, como le ocurría con Deborah, pero Sandy no tenía disposición para traicionarlo ni provocarle zozobras. Era limpia y diáfana y se podía leer en ella como en una página abierta.

Algunos días más tarde —eran los últimos de septiembre—, Barry y su agente artístico subieron por el ascensor del helipuerto de Orange Grove donde un moderno helibús de cuatro hélices los condujo al aeropuerto de Los Ángeles en escasos minutos.

California era uno de los estados que mejor parado había salido de la guerra civil que asoló todo el país, financiada principalmente por cárteles de la droga y narcoestados sudamericanos, y que prácticamente había destruido la Unión. El hecho de que el gobernador del estado fuese uno de sus más importantes cómplices facilitó que los comandos terroristas apenas actuaran en sus principales ciudades. Sin embargo, los muros del aeropuerto todavía mostraban en su ala sur cicatrices de la metralla de un camión bomba del cártel de Filadelfia que había sido colocado por alguna de las numerosas maras locales. Tuvieron la precaución, eso sí, de hacerlo explosionar de madrugada para causar el mínimo número de víctimas, de modo que sirviera de advertencia y como método de potenciar más si cabe la fidelidad del gobernador hacia los grupos de *hackers* que controlaban gran parte del voto electrónico de los arrabales de Los Ángeles.

El aeropuerto entraba en efervescencia de una insólita heterogeneidad. Barry, que no podía ocultar su disgusto, se perdía entre mujeres de todas las edades que arrastraban carros con maletas, confundiéndose con hombres maduros y ancianos. Vincent, por su parte, exhibía un aire preocupado, mientras observaba a un chico de color que se acercaba a una de las pantallas que tapizaban las paredes mientras toda la información se transfería de manera automática a su extensión de memoria neuronal.

—Mildred, mi mujer, quedó de reunirse conmigo —explicó Vincent ante una pregunta de Barry.

Arrastrando casi a su hijo Tom, un tímido muchacho de trece años, surgió finalmente la desgarbada figura de Mildred Mac Lain. Tenía el pelo teñido y muy corto.

—¡Vincent! —Se precipitaba hacia él nerviosamente—. ¡Ha sido espantoso poder llegar hasta aquí! —Luego, con entrecortada voz, trataba de explicar (y el no menos agitado Tom interviniendo para completar la historia) que el interventor del taxi comenzó a sentirse indispuesto mientras le observaban a través de la pantalla desde el interior del vehículo—. ¡Empezaron a sangrarle los oídos… y Tom descubrió que tenía manchas azules en el rostro!

—Bueno, olvidémonos ahora de esa maldita peste —razonó Barry—; además, ya es hora de que estemos arriba.

Una vez en la nave aérea, Vincent Mac Lain, que aún estaba conmovido por los abrazos que le prodigaran su mujer y su hijo, desplegó mediante controles hápticos varios correos electrónicos que todavía no había visto. Dado que disponía de tiempo prefirió su versión escrita en vez de la neuronal, que directamente activaba voces e imágenes en el cerebro, así que procedió a su lectura visual como en los viejos tiempos. Estos correos procedían de la organización artística que programara esta gira.

—Hay una cláusula adicional en el contrato para las actuaciones en Japón y Hong Kong —informó a Barry—: «En caso de indisposición del artista, habrá una indemnización por gastos previos de administración y propaganda...».

—¿Qué diablos han querido decir con eso de «indisposición»?

—Exactamente lo que estás pensando, Barry: que tú o yo o alguien de la orquesta caigamos atrapados por la peste. ¡Se defienden como pueden!

—¿Y eso qué puede importarme, qué puede importarnos?

Detuvo a un sobrecargo y pidió una botella de *whisky*, que no tardó en compartir; pero fue Barry quien iba agotándola con temible celeridad. Al cabo de una hora estaba iniciando la segunda. Vincent lo miró preocupado y fue entonces cuando reflexionó en que esta gira podía irse al diablo no por indisposición del cantante, sino por sus desbordes etílicos...

Me alegro de que Joost se haya dirigido a ti —comentó al día siguiente Alain Grenier, el forastero—. En el Coatí hay frecuentes excursiones por la isla, pero no me gusta estar metido en grupos turísticos.

Mezclaban palabras en francés y español y Damián no tuvo dificultades para entenderse con él en ambos idiomas. Mientras esperaba el avión de la línea Cruz del Sur, que cubría el trayecto desde Chile al lejano Oriente, Alain se dedicó a recorrer con su nuevo guía aquellos lugares que no pudo conocer antes. Ambos habían desarrollado una íntima amistad a pesar del poco tiempo que había transcurrido desde el primer día de su encuentro. Después de arribar al Coatí, el forastero se empeñó en que cenaran juntos y así lo hicieron. Más tarde, en el bar del hotel, bebieron y hablaron de viajes, de mujeres y países que para Damián estaban solo en su imaginación. Desembocaron en el tema de la peste. Alain se conmovió al enterarse de que el padre de su amigo había muerto a causa de ella, y escuchó, incrédulo, el relato de su sepultación en el mar.

—Suena fantástico —comentó—, fantástico y patético... Pero ¿sabes? La idea me subyuga... Si muriera lejos de mi patria, pediría que hicieran lo mismo conmigo.

Al día siguiente, Damián ya hacía de guía por parajes inesperados; subieron al cerro El Yunque y al mirador de Selkirk, y explicó al forastero el significado y su historia. Acompañados de Tomás y Ambrosio, se dedicaban a la pesca de langostas. Alain aprendió a prepararlas en la lumbre que Tomás encendía en el vientre de la barca.

No se separaba fácilmente de sus implementos fotográficos y grabadoras en 3D. Los enfocaba en todas direcciones atraído por las sorpresas del paraje isleño y capturó a Damián, a Rosalba, a Tomás y a Ambrosio, y él mismo quedó eternizado en las imágenes cuando se introducía en el cuadro recurriendo al control remoto.

—Dispongo de un material interminable —informó luego de grabar unas tomas en el islote El Verdugo—. Lo compaginaré cuando regrese a París.

Otro día entregó el pequeño dron que capturaba imágenes en hiperrealidad al isleño, y este lo hizo volar sobre la figura de Alain moviéndose de un lado a otro en la Bahía del Inglés ante las legendarias cuevas. Era una apacible y ventosa mañana de marzo. El bongo fue atado a unos roqueríos. La brisa otoñal desordenaba la rubia cabeza del forastero. Un dirigible repleto de helio e impulsado por energía solar surge silenciosamente en el cielo. Era un método de transporte que se había puesto muy de moda entre los *panterrícolas*[15] que lo habían convertido en su método ideal para viajar. La mirada de Alain sigue el plácido curso de la nave aérea; apenas un leve zumbido llega desde lo alto, confundiéndose con el de la resaca.

—Es imponente, pero contrasta con este paraje primitivo. Aquí se deberían ver solamente pájaros y árboles —comenta Alain siguiendo el dirigible con la vista.

---

[15] Movimiento social que aboga por la eliminación de fronteras, moneda única mundial, identidades sexuales, pero, sobre todo, promovían la ecología a ultranza.

Plantado frente a la milenaria cueva, sus ojos tratan de penetrar en la oquedad. Pregunta si fue realmente allí donde viviera Robinson Crusoe.

—Digamos mejor —rectifica Alain—: ¿fue aquí, verdad?

—Exactamente ahí. Eso es, al menos, lo que dice la historia y la leyenda.

—No me cabe duda que lo fue... Me gustaría haber sido él. ¡Quizás lo fui! Uno puede estar en muchas partes en distintas épocas. El tiempo es un mito: el futuro y el pasado son lo mismo, tu voz, esta arena, ese dirigible que ya está lejos, nuestro diálogo que ha pasado o que no se ha producido. Estamos metidos en una sola gavilla de espacio y tiempo. Ven, ponte ahí; apareceremos juntos delante de las cuevas de Robinson y ya nadie podrá separarnos, aunque hayamos muerto.

Las horas parecían aladas. Después de las faenas de pesca, o cuando Alain se animaba a compartirlas, el isleño conducía el bongo hasta el muelle del Coatí, y la ágil estampa del francés aparecía en lo alto, los implementos fílmicos colgados al hombro. Desconcertado y confuso, insistía para que Damián aceptase dinero, incómodo cada vez que este se negaba.

—No es posible. Estás todo el día conmigo. Me haces sentir culpable.

—No tienes por qué. Además, saliendo contigo me entretengo. Desde que murió mi padre, nada me importa mucho.

Se encontraban en la tasca de Van Hanegem. Sonriente, ligera como una ardilla, Telma Luque colocó delante de ellos un plato de charquicán[16]. Entrechocando sus jarras cerveceras, Alain comentó:

---

[16] Plato estacional chileno compuesto por patata, calabaza y charqui (carne seca).

—Joost me dijo que también perdiste a tu madre y hermana y que estás solo. Bueno, yo también perdí a mi padre, aunque no por la peste, sino por un tumor maligno, dos años antes que apareciera el tratamiento anticanceroso. Solo me queda mi madre, pero es como si no la tuviera: su cerebro está apagado, una especie de demencia. Está en un sanatorio cerca de París Occidental. Ya nada me ata a la vida, a excepción de Denise, mi novia. Su hermano tenía dieciocho años cuando se lo llevó la peste. Después quise escapar de todo eso y creí que abandonando Francia sería distinto. Era una ilusión, claro.

Damián parece estar escuchándose a sí mismo.

—Olvidé decirte que tengo a alguien más —prosigue Alain—; un hermanastro que vive en Grenoble, pero a él no me une nada. Roland y yo somos dos desconocidos. Nunca nos llevamos bien.

—¿Qué piensas hacer después de Australia?

—No lo sé. Me desagrada hacer planes. Todavía me pregunto cómo llegué aquí. Me encontraba en Brasil y un día leí un ejemplar de la *National Geographic* donde se describía esta isla. Decidí incorporarla a mi itinerario. Por eso estoy ahora contigo, como pude estar con otro en otro lugar.

Damián lo mira pensativo.

—¿Y si echas tanto de menos a Denise, por qué no te acompañó?

—Quise pedírselo, pero me arrepentí. Si sobrevivo, llegaré a sus brazos y todo será bello de nuevo... ¿Y tú?, ¿te encuentras cómodo en Robinson?

—Nací en esta isla y me gustaría morir en ella. A veces me dan ganas de irme.

Alain parte en dos mitades el postre, un flan de lúcumas con crema, mirándolo con expresión extraña.

—Ya sé que estás solo en el mundo. ¿Qué significa Rosalba para ti?

—Bueno, la quiero como a la que pudo ser mi madrastra, la compañera de papá; pero no creo que mucho más que eso. Mi padre la amaba.

—Y bien, si nada importante te ata Robinson, si quieres dejar la isla... puedes venir conmigo a Australia. Nos quedaremos unos días en Rapa Nui y luego iremos a Sídney y después... lo que quieras. Tú puedes regresar o seguir conmigo. Ya sabes que no me gusta hacer planes.

Damián levanta sus ojos, confuso. Piensa que ha bebido más de lo necesario. Se había propuesto varias veces evitarlo, pero no era fácil. ¿A Australia? ¿Rapa Nui? Le parece estar soñando.

—Por cierto —lo oye decir, como adivinando sus pensamientos—, no necesitarás preocuparte por el dinero. A mí no me servirá de mucho, ni siquiera para dejar de morir antes de tiempo. Bueno, ¿deseas pensarlo unos días o te animas a decidirlo ahora?

Como las demás vetustas motonaves que hacían el trayecto entre Estocolmo y Malmö, la Skär Vår tenía una capacidad no muy elevada de pasajeros, unos cuatrocientos, divididos en dos clases. Un tanto abandonados por anacrónicos en los años anteriores, habían cobrado auge en los últimos tiempos. No obstante, agobiados de velocidad y turbamultas, muchos automovilistas optaban por el descansado viaje marítimo, unos quinientos kilómetros de una autopista inteligente que unía ambas ciudades. Para los que tenían mucha prisa estaba dispuesto, además, un excelente servicio de helibuses. Las cuatro o cinco horas que demoraba el trayecto por el Báltico permitían leer, meditar o simplemente entregarse al encanto de ver las aguas y beber un vaso de *akvavitt* o de cerveza y paladear los excelentes guisos en los amplios comedores.

Eran las 12:30 de ese día de marzo cuando el actor Stig Tornval subió, casi el último entre los pasajeros, por la pasarela de la Skär Vår, los ojos ocultos tras unas gafas, las solapas de su abrigo alzadas hasta las orejas. No era fácil identificar a ese pasajero como el actor del Dramatiska Teatern que arrancaba ovaciones por su actuación en la recientemente estrenada pieza *Nuestro fuego* o en otras que le habían precedido. Después de dos semanas de sufrimiento, las ahuecadas mejillas de Stig realzaban una impresionante palidez. Vapuleado por el insomnio y el alcohol, se había estragado en poco tiempo. La noche anterior apenas había dormido un par de horas; el resto de ellas las ocupó bebiendo una desordenada mezcla de bebidas e intentando leer, sin conseguirlo, *El cuarto rojo*, de Strindberg. Durante la tarde también había estado bebiendo con Peter Lindbomb, su compañero en el Dramatiska. Además, su estómago ardía a causa de la gastritis que lo agobiaba desde hacía tres años, un vapuleado estómago que recibía más alcohol que alimentos. Pero ya tenía previsto este viaje marítimo y comprendió que no podía retroceder. Dirigió sus tambaleantes pasos en dirección al bar y pidió una cerveza, ingiriendo junto a ella una pastilla estimulante cuyo origen no recordaba. Pagó en el mesón quince coronas virtuales y descendió por la corta y ancha escalinata que conducía a los comedores de segunda clase. Había una grata atmósfera allí dentro. El calor de la chimenea, el vino y los apetitosos platos que circulaban entre los comensales, además de la música de Smetana que una joven rubia tocaba al piano, otorgaban a la sala un acogedor y tradicional ambiente. Había apacibles banqueros y funcionarios con sus hijos menores, amos de casa, marinos que volvían a la base de Malmö, comerciantes y granjeros; gente adulta en su mayoría, liberada ya del exterminio azul, disfrutando impunemente de sus placeres sabiendo que la epidemia no podía tocarlos. Los jóvenes, como en todas partes, eran más taciturnos, excepto cuando se embriagaban, lo que ocurría con frecuencia. Eran, sin embargo, los tristes privilegiados. En los autobuses y trenes les ofrecían los asientos, como en otros tiempos con los ancianos, las embarazadas o los impedidos. En los restoranes se les proporcionaban los mejores platos, como a los condenados antes de subir al cadalso.

Stig Tornval echó una mirada en torno suyo, hasta que descubrió a esa pareja sentada junto al ventanal en el lado de babor. Su mirada se concentró en la figura de una joven de platinada cabellera cuya diestra estaba enlazada a la del pastor Jansson. Las separaron cuando la camarera colocó ante ella un plato de pescado al vapor y otro de arenque en el sitio de Lars. Este miraba a su prometida con un embelesamiento que a Stig se le antojó insoportable. Desde el último encuentro en el Norshörning, no podía apartar de su cabeza el alud de recuerdos de esa ligazón que lo había marcado para siempre, de esas viriles caricias que diestramente prodigaba Lars en su cuerpo, transportándolo a un cielo inconmensurable, el único que conocía y en el cual creía. Los otros, inventados o reales, eran objeto de su escepticismo o de su indiferencia. Tal vez existían para otros, empezando por Lars y los de su pandilla. El pastor había encontrado ahora el suyo en esa intrusa estudiante de sociología a quien Stig contemplaba con sombrío resentimiento, la sangre bullente de alcohol. La odiaba en medio de su borrachera. ¿Era entonces verdad que había vuelto con esa maldita Alwa? No era una máscara para exhibirla ante el mundo. Esto acicateaba su congoja y su humillación, bullendo todo dentro de sí en una caótica vorágine. ¿Dónde habían volado aquellas apasionadas frases de Lars en la intimidad de su piso? Lo ahogaba la violencia de su rencor, anulando todo raciocinio, las manos crispadas. Todo eso se arremolinó en su cerebro al avanzar en dirección a esa odiada mesa. Se detuvo en un momento junto a otra, donde dos octogenarios contemplaban su plato de fajitas rellenas con carne y setas, y fue en ese instante cuando su diestra oprimió el arma oculta en el bolsillo y apuntó a la odiada y amada cabeza de Lars Jansson con el placer de un niño en una feria de pueblo...

Prácticamente nadie fue capaz de escuchar el murmu-llo que como un mantra repetía una y otra vez mientras se acercaba a su víctima y momentos antes de presionar el gatillo: «En un mundo desequilibrado la moderación es siempre un pecado».

La detonación resonó amortiguada debido a que la pianista había presionado en ese momento el pedal del *forte* y sus manos cayeron sobre un *fortissimo* de *La novia vendida*[17], pero fue sin embargo lo suficientemente patético para poner de pie, como un resorte, a medio centenar de personas... Rodaron algunas sillas entre gritos de sorpresa y terror, mientras la descontrolada pianista comenzó a lanzar gritos histéricos.

La cabeza del pastor se inclinó y luego cayó verticalmente, chocando con el reborde de la mesa. El plato de pescado de Alwa recibió una mancha rojiza que emanaba de la cabeza de Lars Jansson) y el vaso de cerveza se derramó sobre su blusa...

El cuerpo del pastor había caído, al tiempo que de la garganta de su acompañante surgían incoherentes palabras. La pareja de ancianos, que apenas alcanzó a probar su plato de comida, vio, temblorosa, cómo el autor del drama empuñaba todavía el arma homicida. De pie, inmóvil, mirando toda esa barahúnda que parecía ajena a él, Stig no hizo el menor gesto de resistencia al sentir los brazos de los tres oficiales que lo inmovilizaron en medio de las exclamaciones que fluían desde todos los ámbitos de la Skär Vår. Faltaban todavía dos horas para llegar a Malmö...

---

[17] Ópera cómica en tres actos con música de Bedřich Smetana y libreto en checo de Karel Sabina.

El sueño fue fragmentándosele a Damián aquella noche. Una animación vagamente temerosa lo dominaba y pensó que lo que le ofreciera ese casi desconocido turista terminaría derritiéndose con la salida del sol. El transcurrir de las horas se le antojó infinito. Buscó el frasco de tranquilizantes que el doctor le prescribiera a través de Rosalba cuando, preocupada, esta le explicó sus extrañas actitudes y su negativa a ser examinado. (*Irme lejos… Australia, ¿será verdad? Rosalba no me creyó cuando se lo dije hace unas horas*).

Ella dormía a poca distancia, pero ya no estaba sola. Cuatro días antes, había llegado su sobrina desde Valparaíso. Marta Díaz era una flacuchenta muchacha, demasiado avispada para sus catorce años, que apenas hacía recordar a la tímida y asombrada chica que dos veranos antes solía acompañarlos con el bongo. Damián alcanzaba a oír la respiración de las dos mujeres y se sintió aliviado. (*Al menos, si toda esta fantasía se convierte en algo real, Marta servirá de compañía a Rosalba y no sentiré remordimientos al dejarla sola*).

Despertó tarde a la mañana siguiente. Recordó que había prometido recoger a Alain en el hotel para ir a Santa Clara. Se vistió deprisa y salió en busca de la lancha, no sin antes coger el bolso con las provisiones que Rosalba le dejara la víspera. Tomás le ayudó a empujar el bongo. Volvería tarde, le dijo, no sabía cuándo.

—¿Es cierto lo que nos dijo Rosalba anoche? ¿Que te vas con el gringo del Coatí? —alcanzó a preguntar Tomás.

—Prefiero hablar de eso más tarde —dijo Damián, sin poder disimular su impaciencia. Temía que su entusiasmo no descansara más que en un frágil andamiaje.

El bongo avanzaba con lentitud. Tomás lo siguió con la mirada, jibarizándose en la perspectiva, la bahía de Cumberland ampliándose a sus espaldas. Damián experimentó un extraño malestar. Antes de llegar a Puerto Francés, reconoce la deportiva estampa de Alain en el muelle. Su camisa roja sobresale en medio de la niebla y al acercarse lo ve levantar un brazo, enseñando lo que parece un billete de transporte reflejado en una brillante pantalla.

—¡Tu billete para Australia! —grita Alain, y poco después salta a la lancha, que oscila bajo su peso.

Damián comprueba que todo ha dejado de ser un sueño y se refleja en la pequeña pantalla que sostiene temblorosamente: «Damián Rojas... Líneas Aéreas Cruz del Sur. Robinson Crusoe-Rapa Nui-Tahití-Sídney...».

—No, no estás soñando; todo es real. ¡Es el comienzo de algo nuevo! Algo nuevo e insospechado en un mundo que se desintegra.

Damián vuelve la cabeza hacia el forastero y de su garganta emergen torpes palabras avergonzadas.

—¡No necesitas agradecerme! —Lo detiene Alain, sentándose a proa—. El avión sale mañana a las tres.

El isleño se queda mirando al horizonte y siente que algo extraño aprisiona su garganta. La Liliana II rumbea hacia el suroeste. La niebla cubre todavía los contornos de Cumberland.

—¿Has pensado que son nuestras últimas horas en tu isla? —dice Alain—. ¡Serán también las últimas para captar panoramas! —Y prepara sus implementos fotográficos. Los borrosos contornos de la isla de Santa Clara emergerán pronto a través de la bruma. El ruido del motor se fragmenta con el intermitente oleaje y el chillido de gaviotas y pelícanos.

Alain dirige el teleobjetivo a la cumbre de unos acantilados donde ramonean unas cabras salvajes entre los arbustos. Damián explica que, al igual que los coatíes y las guatusas, han ido extinguiéndose con el transcurso de los años. De pie en el bongo, a riesgo de perder la estabilidad, Alain sostiene su grabadora, enfocándola en panorámicas circulares y verticales, capturando lanchas que van y vienen, manos que saludan y que jamás volverá a ver, alcatraces y gaviotas hendiendo el empañado cristal del espacio.

—Algún día —dice—, te enviaré las imágenes desde Francia, si acaso París sigue siendo libre, y podrás recrear estos momentos.

A la altura de El Verdugo, una fuerte ventisca se arremolina en los costados del bongo, que se sacude de forma ostensible, pero Damián se ha habituado a estas vicisitudes. Es poco más de mediodía cuando bajan en Santa Clara, un solitario islote de apenas trescientas almas, algunos caballos y un par de ovejas. Descalzos, ajenos a su próxima zozobra, varios niños, una mujercita entre ellos, corren por la arena jugando al «pillarse»; sus alegres chillidos se aminoran cuando ven aparecer la figura de un religioso. Damián contempla extrañado al padre Cáceres, que avanza con sus cortas piernas y sus asimétricas facciones.

—Vine a Santa Clara a auxiliar religiosamente a Abelardo Maureira —explica ante una pregunta del pescador.

—¿Abelardo, el hijo de Rufino?

—Ambos estuvieron en la misa dedicada a tu padre.

Una sorda confusión, una mezcla de rabia y tristeza se apodera de Damián.

—¿La peste?

—Cierto, hijo; ¿de qué podría enfermar o morir un pescador joven en Santa Clara? —Vuelve la mirada hacia el acompañante—. ¿Tú eres Alain, verdad? Tenía deseos de conocerte. He sabido que piensas llevarte a este chico.

—Así es. Iremos a Australia —Sonríe—; estaremos unos días en Rapa Nui. ¿Es que debo sentirme culpable?

—No, ¡por supuesto que no! Me alegro por él. Le hará bien olvidarse un poco de todo lo que ha pasado…, aunque no por alejarse de esta isla dejará de presenciar el dolor en otras. —Aplica su mano en la desordenada pelambrera de Damián—. ¡Rogaré a Dios por ti! —promete, y después de cerciorarse de la hora de la partida, asegura que irá a despedirlos al día siguiente. Pronto lo verán desaparecer, al igual que esos niños que tratan de pillarse unos a otros en la arena.

Después de recorrer Punta O'Higgins y Bahía del Padre, contorneando los elevados farallones del norte —una provechosa jornada fotográfica y de imágenes para Alain—, la Liliana II se detiene finalmente, ya anochecido, en el muelle del hotel. De un ágil salto, Alain se apea, diciéndole:

—¡Adiós! Hasta mañana en la tarde. —Y desaparece entre otros turistas.

De regreso en el bongo, Damián se vuelve a pensar en su viaje a la desconocida Australia. ¿Qué podrá hacer en dicho país? Recuerda haber visto películas y fotografías de Camberra, Sídney y Perth, pero esas ciudades y otras se le hacen una confusión en la cabeza. (*¿Es posible que sea mi último día en Robinson? Tendré que decirlo, ahora sí, a todos. ¡Les costará creerlo! ¡Mi último día... mi última noche! ¿Volverá a haber otras para mí en Robinson?*).

E ra la primera vez que Barry Fletcher actuaría fuera de los Estados Unidos. Cuatro años antes había visitado el Lejano Oriente, pero entonces era apenas conocido y, además, aquel había sido un viaje turístico. Probablemente la concertación de esta gira no habría surgido sin el disgusto y el desconcierto que había generado en él su ruptura sentimental con Deborah. A diferencia de otros artistas cuyo brillo se desvanecía en medio de la inquietud universal, el de Barry Fletcher adquiría un cada vez más irrebatible eco en las almas, acaso porque su voz y sus canciones tocaban la raíz misma de la angustia del mundo. Era suficiente que en su repertorio figurara *Blue Tuesday* para que Vincent Mac Lain tuviese la seguridad de que los escenarios se desbordarían de un público que lo había encumbrado a la categoría de ídolo. Casi mil millones de reproducciones por todo el orbe respaldaban esa idolatría. Las redes sociales se habían transformado en la última década al extenderse el uso de las extensiones neuronales *neolink*[18] que permitían el contacto de los seguidores con las emociones del avatar del famoso durante el desarrollo de cada uno de sus temas musicales.

Un público heterogéneo y delirante lo aclamó en sus dos presentaciones en Honolulú. Una profusión de flores llegaba

---

[18] Prótesis neurológica conectada al sistema límbico en el cerebro. Se ha rumoreado que algunos Gobiernos y redes sociales la manipulan en su propio beneficio.

desde todas partes, y en medio de ellas alguna invitación con provocativas fotos de admiradoras, citándolo a la intimidad de una habitación de hotel. Barry solo debía escoger entre decenas o cientos de ellas para que la obsesionante evocación de Deborah Ferguson se tornase más borrosa. Lo ayudaba en ese olvido el recuerdo de Sandy Austin, cuyo rostro tierno revoloteaba nostálgicamente. Había tratado de comunicarse con ella desde Hong Kong y Tokio, pero aquellas veces que lo había intentado personalmente o a través de Vincent Mac Lain, no tuvo éxito: ni su compañera de piso en Glendale, ni la de la oficina en la Olimpic Recording pudieron ofrecer una mejor información que la que Sandy proporcionara a Barry en Los Ángeles: estaba cuidando a su madre en Pinedale, pero a nadie dejó sus señas en esa ciudad.

—¡Es como si la tierra se la hubiese tragado! —comentó Vincent, dos días después de arribar a Hong Kong.

—¡Cualquiera diría que anda huyendo de ti! —comentó Paul Mills, el pianista del conjunto orquestal—. Me cuesta comprenderlo.

Barry no dejó de preocuparse por este silencio y no tardaron en verle beber de forma profusa, originando frecuentes entredichos con su agente artístico y algunos miembros de la orquesta. Cierta tarde, en un bar de Mody Road, al esforzarse James Dunn, el baterista, por disuadirlo de seguir bebiendo un tercer vaso de ginebra, Barry lo apartó ásperamente.

—¿Qué diablos te propones, querido James? ¿Cuidar mi salud?

—¡Está cuidando la tuya y la de todos, Barry! —dijo Vincent, habituado, como los demás, a estos arranques del artista. Pero eso no le impedía, como al corista Bart Nichols y a Griffin Bates, el encargado del violín, adherirse a las juergas en cada lugar que visitaban. Vincent participaba en esas orgías abrumado por sombríos sentimientos de culpa, que emanaban del recuerdo de su esposa Mildred y de su hijo Tom, y las rehuyó más de una vez.

—Lo que sucede —le espetó un día Barry, en una de sus frecuentes impetuosidades etílicas— es que no sirves para hacer el amor sino con una mujer. Claudicas como un viejo motor antiguo por falta de gasolina.

Se encontraban bebiendo en el bar del Mocambo, envueltos en una atmósfera de cadencias musicales chinas —el *mahjong*[19] destacándose entre ellas—. Dos *bargirls* de aspecto oriental se ocupaban de satisfacer las órdenes de media docena de bebedores apoyados en la barra; una de ellas coloca delante de Barry y de sus acompañantes los vasos de ginebra que el guitarrista Noel Hart ha propuesto, mientras al otro extremo del mesón su compañera atiende a otro grupo de personas. Señalando a esta última, Barry Fletcher comenta:

—¿Qué os parece esa chica? ¿No luce adorable?

Los saltones ojos de Vincent convergen hacia la pálida figura que, en uniforme blanco y verde, agita una coctelera.

—¡Pero ese bombón apenas debe haber cumplido, si acaso, los dieciocho años! —observa el componente del coro, Bart Nichols, un tipo bajo y trigueño.

—Y bien, querido Bart, ¿tiene eso demasiada importancia?

Los demás se encogen de hombros y, resignados, ven cómo Barry le hace un gesto para que se acerque. La chica abandona la coctelera y se aproxima al lugar donde se encuentra el cantante.

---

[19] Juego de mesa de origen chino.

—¿Mi compañera no os ha atendido? —interroga con exótico acento. Intensamente oscuros y almendrados, sus ojos se posan candorosamente en los de Barry.

—Ya nos han servido. Solamente quería contemplarte de cerca. ¿Puedo verte después de terminar tu trabajo?

—Lo siento, no puedo —dice, turbada, alejándose.

—Espera… —La joven se detiene indecisa—. Me llamo Fletcher. ¿Mi nombre no te dice nada?

—No, lo siento, discúlpame…, tengo que atender a esos señores… —Y se aparta hacia el otro extremo de la barra.

Vincent, Paul y Bart intercambian una mirada de complicidad y se echan a reír.

—¡Su ignorancia la ha salvado! —comenta el corista—. Vamos, Barry, ¡no siempre ha de resultar!

—Creo que lo mejor que podemos hacer es ir a acostarnos —propone Vincent—. ¡No te faltarán chicas en Hong Kong o en otra parte! ¿Por qué empecinarte con ella? ¡Ya te ha dicho que no quiere nada contigo!

Al día siguiente, luego de incursionar los cinco en el coche alquilado por Barry por las pintorescas calles de Hong Kong, el cantante insiste en almorzar en el Mocambo, animado por la débil esperanza de ver nuevamente a la desdeñosa jovencita. Se encuentran en las inmediaciones del Jardín del Bálsamo de Tigre donde es posible elegir sitios iguales o superiores al Mocambo, pero Barry exhibe una frenética obsesión por acercarse al lugar donde conociera a la escurridiza muchacha.

—¡Estamos demasiado lejos! —le previene el guitarrista—. Además, esa chica trabaja solamente en la noche; ¡va a ser un viaje inútil!

Pero sentado ya ante el volante del Singer eléctrico, Barry no tarda en dirigirlo hacia el centro de Victoria, asaeteada su imaginación con el recuerdo de la joven. «¡Tendré que verla de nuevo!», se repite mentalmente; su voltaje sensorial está concentrado en esa desconocida cuyo nombre no tardará en descubrir, pero le costará pronunciar luego de una inesperada pirueta del destino.

La fachada del restaurante emanaba un fuerte olor a especias orientales que se mezclaba con el incienso colocado en torno a los gruesos y dorados budas. Todos pasan a lo largo del oscuro pasillo que conduce a las mesas y toman asiento mientras una camarera comienza a repartir los menús con la habilidad de un croupier de casino.

Mientras, desganado, comparte con Vincent, Paul, Bart y Noel los extraños nombres de los platos en la carta del restaurante: *moo goo, gai pax, kinychi* y *yan chow*. Vincent descubre de pronto, ahora sin uniforme, a la joven de la víspera almorzando en una mesa distante, que comparte con una pelirroja.

—¡Es la misma! —confirma Barry, apartando su plato de cerdo con bambú—. Temo que mi fantasía fue anoche insuficiente para abarcar su atractivo. Dime si compartes mi sentido estético, Paul: tus ojos de artista deben tener mayor sensibilidad que los de Vincent.

El aludido mira en esa dirección.

—Es realmente excepcional, pero ¿qué quieres que te diga, Barry? No es bueno entusiasmarse con manjares prohibidos. Esa presa está destinada a tu voracidad solo si los dioses te acompañan.

—Me acompañarán. Tendré que encontrar la manera de abordarla.

Y es en esos momentos cuando los punteros del azar giran en la dirección inesperada: la pelirroja cabeza se vuelve hacia la mesa de Barry y sus acompañantes, y en un curioso impulso observan, atónitos, cómo la chica abandona su asiento, encaminando sus largas piernas hacia ellos.

Una desinhibida sonrisa llena su rostro salpicado de pecas. Con un acento inconfundiblemente británico, dice, dirigiéndose a Barry:

—Discúlpame, ¡pero podría jurar que tú eres Barry Fletcher! No me digas que me he equivocado, me moriría de vergüenza.

Barry cambia una mirada con Bart Nichols y se limita a señalar una silla.

—Acompáñanos —dice, de vuelta de su asombro—. No te has equivocado. —Y presenta a sus cuatro acompañantes.

—Me llamo Janet May —dice la joven, sentándose en un extremo de la mesa—. Soy enfermera.

—¿No quieres almorzar con nosotros?

—Me acerqué a tu mesa solo a pedirte un autógrafo. Estoy comiendo con una amiga.

—Puedes incluirla en la invitación.

La pelirroja vacila unos instantes.

—No sé si aceptará, ¿sabes?; es muy tímida.

—Puedes intentarlo. Pregúntaselo mientras preparo mi lápiz para el autógrafo.

Cual impulsada por un resorte, la inglesa se pone de pie.

—¡Lo intentaré, por supuesto!

Los hombres la siguen con la mirada y no tardan en verla inclinada hacia su amiga, señalando el grupo donde está Barry, pero la muchacha parece renuente a sucumbir. Poco después, sin embargo, la ven ponerse de pie, aprisionada una de sus manos por la pecosa enfermera que la guía hacia la mesa de los norteamericanos. De pie, estos saludan a la recién llegada, que tímidamente pronuncia su nombre.

—Gracias por acompañarnos —saluda Barry, acomodándola a su lado, mientras Janet lo hace junto al pianista.

La muchacha mira a sus anfitriones, turbada, y, ante una pregunta de Bart Nichols, repite su enrevesado nombre: Sidchalean Dharmasakds, que Janet May se encarga de deletrear, escribiéndolo en un papel.

—¿De dónde eres? —pregunta Paul Mills.

—De Tailandia —Su exótico inglés envuelve placenteramente los sentidos de sus oyentes.

—Anoche estaba en el bar con estos amigos —se apresura a recordar Barry.

—Sí, me preguntaste si te conocía. Me avergüenzo de haberte dicho que no; Janet me acaba de decir quién eres. ¿Es verdad que actuarás en el Ko Shing Opera House?

—Sí, será el primer recital. Paul Mills —señala— estará acompañándome al piano, Bart Nichols en el coro, Noel Hart con su guitarra y Vincent Mac Lain será el encargado de reservaros un buen sitio, si es que nos honráis con vuestra presencia.

Con el vaso de cerveza en la mano, Janet se vuelve a su amiga, pero la tailandesa la mira sin responder.

En mayo de 2039, la pandemia azul se había cobrado 1 796 500 víctimas tan solo en Suecia. La información, destacada en el *Expressen*, de Estocolmo, procedía de las estadísticas oficiales de la ya casi inexistente Organización de las Naciones Unidas. En la capital sueca la cifra alcanzaba a 244 306 y se llegaría a medio millón, se calculaba, para comienzos del 2040, demasiado cerca ya. Como en todas las ciudades del mundo, los desesperados se unían en patéticas demostraciones, presionando a los gobernantes y científicos, instando a salvarse de la aparente ira divina.

La última vez que la humanidad había vivido algo semejante pudo haber sido unos ocho años atrás. Sin embargo, nunca hubo una certeza acerca de lo ocurrido, ya que la mayor parte de los Gobiernos ocultaron las cifras; pero poblaciones enteras desaparecieron e incluso algunas grandes ciudades, como Nairobi, habían sido reducidas a pueblos donde los aturdidos habitantes vagaban por las calles sin rumbo fijo y cuya estructura social y económica había sido completamente devastada. Millones de personas no pudieron superar la hambruna en toda África a pesar de que una ingente cantidad de raciones de proteínas derivadas de insectos fueron repartidas por doquier con la ayuda de drones. Por la falta de información, y dado que la OMS tan solo obedecía a propósitos partidistas y religiosos, aquella epidemia fue conocida como la «pandemia silente». Nunca se supo con exactitud lo que había sucedido. Ni el origen de la misma ni el número de fallecidos.

En la cárcel modelo al sur de Estocolmo, desplegada en un extenso edificio en Hörningnäs, los reclusos jóvenes habían ido sucumbiendo gradualmente, transformando a la población penal superviviente en un ejército de hombres maduros y ancianos. Los delitos, sin embargo, habían disminuido de forma considerable. Al saberse rodeados del interés, del amor o la compasión del resto de sus congéneres, no necesitaban emplear la violencia para sus aspiraciones materiales o afectivas. El ser jóvenes resultaba la más apetecida credencial, un trágico pasaporte que les permitía el acceso a aquello que en tiempos normales estaba a disposición de los privilegiados.

En una confortable celda, la número 624, Stig Tornval se había negado en las dos primeras semanas a recibir a nadie. Solamente aceptó la presencia de su hermana Stina, que, desolada, había acudido desde Arvika con su marido, Olof Rylander, y el pastor Börje Nyström.

—Lo que nunca hubiera pensado —comentó el religioso, un tipo delgado, que rondaba la cincuentena— es que nuestra amistad con el pastor Jannson iba a desembocar en esto.

—¡Fuimos tu hermana y yo quienes más animamos a Borje para que nos acompañara a presenciar la obra *Las hienas*, en la que tu actuabas! —acotó Olof Rylander.

—No quisiera hablar de eso —evadió Stig.

Tenía la voz enronquecida y sus ojos evitaban los de su hermana. Esta se limpiaba el llanto de los suyos, mientras extraía los comestibles de una bolsa que le había traído.

Parecía anonadada con la tragedia que había arrastrado a su hermano a este humillante recinto. Fue a través de ella que Stig se enteró de que el pastor se había recuperado de las heridas en un hospital de Malmö, una de ellas penetrante en el hemitórax derecho y otra superficial en la ceja izquierda, que en principio parecía haber sido mortal dada la profusión de sangre. Habíase negado a formular declaraciones, y Stig alcanzó a leer en el *Abedet*, de esa ciudad, una entrevista que le fuera hecha a Alwa Strömberg en la que relataba lo ocurrido en la Skär Vår. Tampoco Stig había sido muy elocuente para explicar su impulso homicida, y el asunto se manejaba con las más variadas conjeturas, que al derrumbado actor le importaban cada vez menos. Seguía alimentando un sordo rencor contra la intrusa que le había quitado a Lars. ¿Estaba entonces enterada de todo lo ocurrido? ¿No le importaba su condición sexual? «Lo amo» —había leído en esa siniestra entrevista—; «lo amo y me casaré con él, a pesar de todo…». ¿Qué había querido decir con ese «a pesar de todo»?

Los comentarios, malévolos o no, se encadenaban a través de toda Suecia y más allá de la tradicionalmente liberal Escandinavia. Para Linn Borg, la actriz enamorada de Stig, que a su pesar los escuchaba dentro y fuera del Dramatiska, aparecían llenos de conjeturas. A pesar de las negativas de Stig para recibirla, continuó insistiendo, enviándole mensajes de amor y de pesar, pidiéndole ser admitida. Tras una fatigosa perseverancia que duró varias semanas, el actor accedió finalmente.

Los rutilantes ojos de Linn estaban cargados de un brillo húmedo y ansioso.

—¡Deseaba… mucho verte, Stig, mucho!

El actor aceptó los bombones que le había traído, los libros interactivos. Ella le recomendó también *Siete caminos*, una novela holandesa cuya lectura terminaría cautivándolo y cuya trama variaba inteligentemente según percibía el estado de ánimo del lector a través de sus reacciones pupilares.

Con una mezcla de fastidio y humillación, la mirada de Stig recorría el pálido rostro de su compañera de escena y terminó preguntando por el Dramatiska.

—Sé que han cambiado la obra *Nuestro fuego* —dijo.

—Dag Forslund decidió reponer *El tiempo enfermo.* Tu papel lo hace Bengt Sylwan, pero es inexperto, como algunos que también lo intentaron al reemplazarte en *Nuestro fuego.* ¡No es fácil encontrar quien te sustituya, Stig! Creo que alguna vez te lo dije.

—Sí, me parece que sí…, pero ya nada importa. Por supuesto, Dag y los demás estarán hablando de mí de forma siniestra.

—¡No es así, Stig! Solamente lo lamentan… ¡lo lamentamos todos! Dag intentó hablar contigo, pero no lo consiguió. Está preocupado, lo mismo que Peter Lindbomb y Hjalmar Lafrensen…

—Sí, lo sé, Linn… Es posible que acceda a que vengan… Peter Lindbomb, Hjalmar, Dag… puede venir todo el Dramatiska y Suecia entera, ¡que se replete Hörningnäs de suecos enfermos de curiosidad!

—Stig, no te exaltes. Dime si realmente quieres recibir a alguien.

Stig se pasó la mano por la cabeza.

—No sé… no sé lo que quiero, Linn. Por suerte ya tengo treinta años y mi cuello está preparado para la guillotina azul. Debería caer sobre mí esta misma noche. ¡Sería mi mayor triunfo artístico!

Linn trató de arrancarlo de esas reflexiones y se puso a hablar de otra cosa. Había soñado con él, le dijo. Sí, había ocurrido varias veces, y algunos de esos sueños eran martirizantes.

—Hace dos noches soñé que te ahogabas... te hundías, y yo no podía hacer nada sino gritar y llorar...

—Sería formidable, Linn, ¡sumergirme para siempre! Una vez en el tiempo en que actuaba en el teatro flotante, tuve una pesadilla; me sentía arrastrado por la corriente y al otro lado del Mälaren[20] me esperaba un ser monstruoso, Näcken[21], tal vez, como en la leyenda...

Aquella noche Stig no soñó con ese monstruo, pero sí con uno que había amenazado a emerger con extraños contornos en su conciencia: la odiada y amada figura de Lars. ¿Cuánto tiempo más permanecería esta obsesión dentro de sí?

Dos días más tarde vio de nuevo en el locutorio del penal la figura de Linn, acompañada esta vez por Dag Forslund y Hjalmar Lafrensen, el fornido y afable actor a quien Stig apreciaba por su franqueza y sus ironías.

—Gracias por habernos recibido, Stig. —Es lo primero que dijo Dag Forslund, un tipo alto de rasgos ascéticos.

Tenía cuarenta y seis años y parecía darle lo mismo haber sobrepasado la edad vulnerable. Apreciaba a Stig y admiraba a su genio histriónico. Más de una vez se le oyó comentar que pocas veces había cruzado por el Dramatiska un actor dotado de su fuego interpretativo, aunque no confiaba que pudiera

---

[20] Gran lago sueco, ubicado en la región histórica de Svealand.

[21] Ser mitológico escandinavo masculino que habita en lagos y ríos. Cantaba seductoras melodías que incitaban a mujeres y niños a sumergirse en las aguas y ahogarse.

llegar lejos a causa de sus impulsos etílicos. El incidente de la Skär Vår lo había lanzado a una situación incómoda: la obra *Nuestro fuego* debió ser reemplazada por *El tiempo enfermo*, en la que el papel de Stig se prestaba menos complicadamente para un cambio. La responsabilidad recayó en Bengt Sylvan, un joven de pelo ensortijado que no disponía de suficiente aplomo para llegar a la emoción de los espectadores. Aun así, había que salir del paso.

En ese primer encuentro, que no duró mucho, Dag y Hjalmar se limitaron a hablar del Dramatiska y del estado de ánimo de Stig. Hjalmar adelantó la esperanza de que pronto fuera indultado.

—Ya no necesitan tener a nadie en una prisión, Stig —comentó—. Nos estamos muriendo dentro y fuera de ellas, así que da lo mismo.

—A quien le da lo mismo es a mí, Hjalmar —dijo Stig.

—Sea como sea —confesó Dag Forslund—, el Dramatiska se ha resentido sin ti, y supongo que no pensarás que estoy halagándote. Si me preguntas cómo van a seguir las cosas, no sabría responderte. No todo en el Dramatiska depende de mí, lo sabes.

—Sí, comprendo, por supuesto. —Stig parecía estar pensando en otra cosa.

Después que los vio desaparecer, Linn manifestó su deseo de quedarse unos momentos más, los que le permitía el reglamento, y a Stig le costó comprender cuál era el motivo. Daba la impresión de que Linn no quería abandonar el penal, tal vez hubiera querido permanecer todo el tiempo recluída junto a Stig. Se aproximó a él con vehemencia.

—¡No puede importarme nada de lo que se dice afuera! ¡Nada, Stig, ¿comprendes?! Nada de tu pasado.

—Pues debería.

Se alcanzaban a divisar las grandes extensiones de los barrios obreros de Fursta y Stortorget y las verdes áreas junto al Malelungen con sus campamentos veraniegos. Una brisa primaveral parecía anunciarse más allá de los bloques de cemento, una primavera que seguía siendo mortal como el invierno recién terminado. Afuera todo parecía patéticamente rutinario, pero ya nada podía ser lo mismo. La mirada del actor se detuvo en la cabeza de Linn, la amplia frente cubierta por su infantil flequillo, y se sorprendió preguntando acerca del pastor Jannson. ¿Lo había visto Linn? ¿Planeaba desquitarse de su victimario? A través de su relación con él, este se había transformado en un asiduo visitante del Dramatiska y una creciente amistad había ido acercándolo a Linn y a su elenco.

—El pastor no te odia, Stig —exclamó, animada por el hecho de haber accedido a abrir la hermética puerta de ese tema—. ¡Puedes confiar en que no te guarda rencor y desea ayudarte!

—¿Ayudarme? —la miró con impaciencia; tenía impulsos de decir muchas cosas, pero se contuvo, como lo hiciera en esa áspera media hora en que Dag y Hjalmar permanecieron a su lado. Era todo abominable, y aún después que Linn desapareció se preguntaría por qué no estalló de fastidio al oírla hablar de los propósitos del pastor de interceder por él. No, no deseaba su intervención ni admitirle cuando le dieran el alta.

En los días siguientes, Stig permaneció entregado a una serena resignación no exenta de perplejidad. Sola o con Olof o alguno de sus hijos, su hermana solía venir desde Arvika, trayéndole palabras de aliento, hablándole de sus hijos: Bror, de catorce años, y Silvie, de once, cuyos estudios avanzaban promisoriamente en la escuela parroquial de

Börje Nyström. Este le había hecho llegar una Biblia de las tradicionales impresas en papel que todavía abundaban en muchos hogares, la cual el actor contempló con fastidio y abrió con escepticismo. Los febles lazos que lo ataban a la religión habían ido desintegrándose con el correr del tiempo. La aparición de la peste azul en el mundo, que despertara sentimientos místicos en la humanidad o un temor de la ira divina, en él generaba una perplejidad amarga. Le costaba comprender que pudiese existir una deidad que se complaciera en volcar selectivamente su maldición sobre los hombres jóvenes. Recordó entonces la lapidaria filosofía del pastor Jannson en aquel odiado encuentro meses atrás, en el bar Norshörning, invitándole al arrepentimiento. Esas palabras le parecieron irónicas y teñidas de un aborrecible subjetivismo, pero volvió a recordarlas en la prisión y le pareció de pronto que adquirían una insólita vigencia a medida que sus ojos iban leyendo las olvidadas páginas sagradas cuya profundidad rozaba levemente su corazón cargado de resentimientos. ¿Estaba equivocado? ¿Por qué estaba su vida envuelta en el escepticismo y la borrasca? Existían senderos más plácidos y quizás el pastor estaba más cerca de la verdad que otros.

¿Fueron estas reflexiones las que lo impulsaron finalmente a acceder a recibir a Lars, tres semanas después de haber sido este dado de alta?

A través de Linn Borg primero y de Börje Nyström más tarde, el pastor Jannson había manifestado deseos de llegar al lado de su victimario, pero no ignoraba las dificultades que existían para que el actor accediera. A Lars no le constaba comprender esa repulsa. Tal vez eso explicó su sorpresa aquella noche en que Börje Nyström le llamó para informarle que tanto él como Stina y Olof Rylander habían terminado por convencer a Stig de que aceptase recibirlo en la prisión. Lars se había casado hacía una semana con Alwa Strömberg, en una breve y discreta ceremonia presidida por el pastor Nyström.

La noticia del matrimonio de Lars llegó a oídos de Stig después de la ceremonia, cuando la pareja disfrutaba de su luna de miel en Finlandia. Un contradictorio vendaval de emociones sacudió al actor el resto de aquel día y de la noche, una noche plagada de insomnio y fantasmas redivivos, agobiado por una congoja que le hizo anhelar la muerte.

Era un caluroso mediodía de fines de mayo cuando Stig vio aparecer a Lars en el locutorio de la prisión.

—Te agradezco que hayas aceptado recibirme —dijo Lars a manera de saludo—. He sabido de ti a través de otros.

—Espero que estés recuperado —murmuró el actor, con tono opaco.

—Me dieron de alta hace dos semanas. Estuve en Helsinki.

—Ya lo sé; un viaje de bodas...

Lars miró un momento hacia el viejo gendarme que estaba a corta distancia y se llevó la mano a la frente. La cicatriz de la bala resaltaba bajo sus guedejas cobrizas junto a la ceja izquierda.

—Sí, me he casado con Alwa —admitió. Sentía el peso de esos ojos lapidándolo como dos saetas de fuego—. Soy feliz, Stig —agregó, mirándolo ahora abiertamente—. No sé si puedes comprenderlo. Alwa deseó acompañarme.

—¡Puedes traerla, si quieres! He abandonado la lucha; pueden acudir todos. El zoo está abierto para niños y adultos.

—He estado hablando con mi abogado, y es probable que puedas quedar en libertad dentro de poco —prosiguió el pastor, desentendiéndose de la actitud de su examante—. Además, me alegra saber que habías aceptado la Biblia que te hizo llegar Börje Nyström.

Stig tendió hacia él una mirada impenetrable.

—Sí, es verdad; me agrada leerla. Intenté encontrar allí alguna explicación a lo que está ocurriendo en el mundo.

—Sí, ciertamente, Stig, solo allí la hallarás.

Trató luego de ahondar en el tema, pero Stig le rehuyó y no tardó en despedirse. El actor lo vio desaparecer del locutorio y regresó a su celda, acompañado del gendarme de guardia, Knud Burgenhammar.

—Me parece que he visto en alguna parte a ese que acaba de despedirse —comentó—. ¿Dónde ha sido, aquí en Hörningnäs?

—No lo sé; es la primera vez que lo veo —respondió Stig.

Inaugurado en 2031, el Aeropuerto Internacional de Mataveri había reemplazado al viejo terminal aéreo, destruido, como casi todo en la isla de Rapa Nui, por el cataclismo del 26 de agosto de 2028.

Ocho líneas internacionales conectaban, tanto en su flota de aviones sub y supersónicos y de dirigibles, la lejana posesión chilena con diversos países de África, Asia y América, haciendo algunas escalas en Robinson Crusoe antes de llegar o después de partir de los aeropuertos de Valparaíso y Santiago de Chile, Arturo Prat y Pudahuel, respectivamente.

Una polícroma vegetación fomentada técnicamente hacía dos décadas —bambúes, toromiros, hibiscos, totoras, *mahute*[22], buganvillas y cañaverales— enmarcan y embellecen los jardines interiores y exteriores del terminal aéreo, despertando la curiosidad de quienes desembarcan en él por primera vez, Alain Grenier y Damián Rojas entre ellos.

—Me recuerda a otro aeropuerto —observa Alain—, pero no puedo precisar cuál; tal vez alguno que conocí en Indonesia o en la Confederación Malaya... sí, me parece que era en Sarawek, pero no estoy seguro.

---

[22] Fabricado a partir de machacar una planta autóctona hasta obtener una fibra parecida al papiro.

Se detienen delante de un *ahu*[23] sobre el cual se yergue una figura de bronce que representa a Hotu Matu'a[24], el primer *ariki*[25] de la isla. Coches todoterreno eléctricos y pequeñas motos, ostentando estas últimas los colores y emblemas de los tres más importantes hoteles de la isla, aguardan la llegada de los viajeros, junto a los nativos que les otorgarán la bienvenida tradicional —la *Orana*[26]—, prontas a colgar en el cuello de los recién llegados las guirnaldas de flores.

Adornados ya por ellas, Alain y Damián suben al *jeep* del hotel Akahanga, que aquel ha reservado desde Robinson. Dentro se encuentran sentados seis turistas: una pareja norteamericana, dos franceses y un neozelandés de pelo rojizo junto a una chica boliviana. Guiado por una pascuense, el vehículo no tarda en ponerse en marcha por una cinta pavimentada que surge en medio del abigarrado suelo de tonalidades cambiantes, ocres y negras, esta última debido al basalto y a la obsidiana.

Un calor húmedo impregna la atmósfera. El espíritu de Damián va abriéndose paso en un confuso ramaje de sensaciones; parece aún inmerso en un semionírico paraje contemplando esta isla que no se parece a la suya y que desde niño anhelara conocer. Comentarios en voz alta y baja han ido escuchándose durante el trayecto, en un diálogo íntimo entre el neozelandés y su joven compañera de viaje, envueltos ambos en un elocuente silencio, al igual que dentro del avión que los trajera desde Robinson Crusoe.

---

[23] Plataforma ceremonial de la isla de Pascua, donde se rendía culto a los ancestros. Construidas de piedras encajadas, forman la base donde luego se ubicarían los moáis.

[24] Hotu Matu'a fue el primer *ariki* (rey) de Rapa Nui, hacia el siglo IV de nuestra era.

[25] Rey pascuense.

[26] Canción polinésica de bienvenida.

A la altura de Hanga Poukuro, la conductora desvía el vehículo en dirección norte, bordeando la costa por la carretera asfaltada; cruza delante de Vaihu y pronto surgirán, recortadas contra el horizonte y junto a los acantilados de Akahanga[27], los siete pisos del moderno hotel del mismo nombre, el más moderno de la isla, a tan solo unos pocos centenares de metros de un grupo de moáis. Desde sus espaciosos ventanales, mirando algunos hacia el mar y otros al interior, se extiende el prodigioso panorama que impresiona a los que lo contemplan. Recortados contra el cambiante lapislázuli del Pacífico y del cielo isleño, se yerguen los milenarios y enigmáticos moáis del Ahu Akivi.

Damián parece sobrecogido. ¿Dónde ha visto antes todo eso? Tal vez en un sueño, piensa, o en muchos recuerdos ya desvanecidos, y entonces recaptura con el pensamiento aquel grupo humano que fuera a despedirlo al aeropuerto La Punta, en Bahía Carvajal, 2000 millas al este, hace apenas unas horas, que le parecen años: Rosalba y su sobrina, ambas con los ojos rebosantes de lágrimas; el padre Cáceres, Joost van Hanegem, Tomás Leiva, Ambrosio Araya y Samuel Pezoa, renqueante este último, avanzando penosamente.

—¡Confío en que volverás sano, hijo! —alcanza a decirle—. Anoche soñé contigo —agrega, esforzándose por sobreponerse a los altavoces—. Tú venías desde muy lejos y traías un moái de oro. ¡Una reliquia!

Alguien los separa; los brazos de Rosalba Díaz, que comienza a besarlo al tiempo que repite con voz entrecortada:

—¡Adiós, Damián! ¡Sabes que te quise y te quiero como a un hijo!

Damián responde maquinalmente. Inmerso en el sortilegio de este viaje que comienza a ser real, tiene la impresión

---

[27] Plataforma ceremonial ubicada en la costa sur de la isla de Pascua.

de estar protagonizando un sueño, y esos rostros y esas voces terminarán por extinguirse, como ocurriera con las de su madre y su hermana Flora, siete años atrás, en ese mismo lugar. Él estaba allí, junto a su padre, despidiéndolas. Iban a Valparaíso a consultar a un ortopedista para Flora, que tenía entonces catorce años y una lesión a la cadera. Ya no volvería a verlas.

Ambos viajeros contemplan cómo la distancia va devorando esas figuras destinadas a incorporarse a sus recuerdos. Después, la nave aérea avanza, casi inmóvil, bajo las nubes y sobre el mar.

—¡En fin, ya ha terminado lo peor! —comenta Alain una vez que la isla ha desaparecido—. Me refiero a las despedidas. Prefiero escapar sin decir adiós.

Un pequeño robot autónomo se mueve a lo largo del pasillo ofreciendo una bandeja con refrescos. Más allá, una muchacha de baja estatura apoya su cabeza en el hombro de su compañero de pelo rojizo, los mismos que verán más tarde en el *jeep* del Akahanga. En menos de veinticuatro horas Damián ha experimentado nuevas sensaciones que para su marcada juventud son costosas de digerir. En Juan Fernández acompañaba a los turistas que, como Alain, deseaban incursiones por la isla, y algunas veces subió, intimidado, por las escaleras del Coatí y anheló ser como uno de esos despreocupados tipos que llenaban los pasillos y comedores del hotel y del bar, impregnados de risas y diálogos pintorescos en extraños idiomas. Más de una vez manifestó a su padre que le gustaría ser como ellos, disponer de mucho dinero y conocer otros lugares. Sebastián Rojas lo había mirado con extrañeza, diciéndole con un leve tono de reproche: «Es bueno soñar, pero no mucho. Ese mundo no nos pertenece...».

Y he aquí que la ilógica fantasía, esa que su padre repudiaba, se ha convertido en algo real, y Damián, el hijo del pescador Sebastián Rojas, se había transformado en un turista que oteaba las espectaculares construcciones megalíticas, y por unos momentos reflexionaba en que podría ser, acaso, el último obsequio que le concedería la vida antes de sucumbir.

Si Alain Grenier no es un mensajero de Dios, al menos lo parece, y así piensa Damián a la mañana siguiente, mientras almuerzan. A través de los grandes ventanales, que parecen estar enclavados en el Pacífico, un sol otoñal otorga a los murales pascuenses un resplandor inesperado: Oho Takatore arribando a Ana Hávea en una barca; Vaha degollando a Huri Avai con su *kakau*[28], y un Tangata Manu aprisionando el huevo de la fertilidad. Vestidos con sus atuendos pascuenses, los camareros traen los platos y los vinos que Alain ha solicitado y que van animándolos de forma vertiginosa.

—¿Sabes? Creo que debemos prolongar nuestra permanencia en Rapa Nui —propone—. Intentaré grabar todo lo que pueda, como lo he hecho en otros lugares. ¡Tengo material suficiente como para aturdir al pobre Bertrand! ¿No te he hablado todavía de Bertrand Bouin? Es un buen amigo de París. Tiene un superordenador con núcleo cuántico para editar y procesar las imágenes con los mejores programas de edición mediante inteligencia artificial que hayas podido probar. Bueno, espero que podamos presenciar algún día lo que hemos grabado.

Una melodía emerge de los murales y otorga una vernácula atmósfera al recinto, y al paso que la camarera —Leti Tuki, no tardarán en enterarse de su nombre— vierte en las copas la segunda botella de vino, Alain aprovecha para preguntarle acerca de la canción que acaban de oír.

---

[28] Hacha de obsidiana.

—Se llama *Haú-mará*[29] —explica—. Puedes encontrar el tema en la red local del hotel —se aleja a una de las mesas vecinas sin dejar de mirarlo provocativamente.

Más allá, su compañera, Vilma Hgy, atrae la atención de los hombres. Deposita en esos momentos una bandeja con mariscos en la mesa donde un tipo rubio almuerza junto a una mujer de mediana edad, su madre tal vez. Alain observa cómo le clava los ojos en los del atractivo forastero.

—Ya lo tiene hipnotizado —comenta—. Ahora puede ocurrir cualquier cosa. Como ves, es más simple de lo que parece... —Y mira la cara que pone la señora. Pareciera que iba a desintegrar a esa pobre chica; pero ella, ni caso.

Extraños y heterogéneos tipos procedentes de los cuatro puntos cardinales ocupan las mesas del amplio comedor. Desde mucho antes de estallar la epidemia azul, la solitaria isla de Pascua se había convertido en un imantado punto al que convergían los turistas internacionales, desplazándose incluso a la cercana Tahití, cuya gran mayoría de islas, sobre todo las de pequeño tamaño, habían desaparecido debido al cambio climático, por su primitivismo exótico y sus misteriosos moáis y leyendas.

—¿En qué piensas? —pregunta Alain.

Damián bebe un trago de vino. Se encontraba, dice, reflexionando acerca de lo que hará después de Australia.

—Tú regresarás a París —agrega— y yo no sé si tendré ganas de volver a mi isla.

—Bueno, si realmente no tienes necesidad de regresar, ¡puedes venir conmigo! Es probable que después de París decida continuar a otros lugares, y me gustaría que siguieras siendo mi compañero.

---

[29] «Serenidad».

—¿Por qué me elegiste a mí? No soy más que un pescador inculto.

—Nunca se me ocurrió proponerle a nadie que se convirtiera en mi compañero de ruta. Ahora tú lo eres y no me arrepiento. Mi padre me dejó suficiente dinero, pero no creo que me servirá de mucho. Bueno, también me gusta ganarlo con mis propias manos, o más bien, con mi garganta. Canté en varios cafés y discotecas de Europa y Oriente. Gané dinero, pero lo gastaba con rapidez, como el amor. Ya he perdido la cuenta de las mujeres que he amado, pero hay una sola, Denise, que está por encima de todas. Espero que la conozcas algún día.

Después de una siesta, salen a incursionar por los alrededores montando en uno de los escúteres que dispone el hotel, un pequeño vehículo eléctrico con los colores del establecimiento, franjas amarillas y blancas en ambos costados. Una ligera llovizna perturba el esplendor de la mañana. No tardarán sin embargo en ver aparecer el sol en medio de los huidizos nubarrones. Explorando por las inmediaciones del hotel Akahanga, bordean los acantilados con sus siniestros o poéticos farallones. En Maunga Retu, y más al sur, en Vaihu[30] y Manga Tee, les salen al paso varios *ahu* con sus pétreas arquitecturas intactas o semiderruidas. La mirada de Damián se detiene en un moái tumbado con la cabeza dirigida hacia el centro de la isla; y mientras Alain se ocupa de escarbar las calaveras, húmeros y fémures, calcinados por el tiempo, en una *avanga*[31] adyacente al *ahu*, Damián permanece con la vista clavada.

---

[30] Vaihu significa «lugar de agua». Era un lugar habitable preferido por los isleños. Hay una gran plataforma que soportaba ocho moáis ahora derribados bocabajo.

[31] Cámaras sepulcrales o nichos.

—¡Estás como hipnotizado! —comenta Alain—. ¿Has estado aquí antes?

—¿Antes? No, nunca, y sin embargo juraría… que no me es desconocido…, al menos ese —señala—, solo ese… ¡Y jamás he estado en esta isla! Tal vez fue un sueño.

—Ocurre a veces, ¿sabes? Creer que se ha estado en algún lugar. Me parece que se llama *déjà vu*. Es posible que lo hayas visto en otra parte —consulta un folleto—. Tenemos que recorrer muchos lugares todavía. Uno de los primeros deberá ser la fábrica de moái, que está en el Rano Raraku[32].

Pone el escúter en movimiento y avanzan en dirección noreste. Veinte minutos más tarde llegarán a las inmediaciones del Rano Raraku, y Alain se queda, con aire absorto, contemplando el gigantesco volcán.

Un tipo alto, la barba y el pelo rojizos, surge acompañado de una joven morena. Alain y Damián no demoran en reconocerlos: es la pareja que vieran en un extremo del avión a poco de abandonar Robinson Crusoe y más tarde en el *jeep* del Akahanga.

—¿Sabes? Tengo la impresión de que se conocieron en este viaje —comenta Alain preparando la grabadora 3D—. No es complicado para un hombre, joven o viejo, entablar amistad o tener una aventura. No lo era antes de la peste, ¡con mayor razón ahora! —Dirige los teleobjetivos hacia una ladera del Rano Raraku donde, a guisa de cantera, yacen diversos moáis en diferentes etapas de construcción, adheridos algunos a las rocosas paredes—. ¡Esto es formidable! —exclama entusiasmado, y obliga a su compañero a meterse en el cuadro, haciéndolo luego él.

---

[32] Cráter volcánico formado a partir de ceniza consolidada.

No paran de preguntarse, mientras miran embelesados las piedras, cómo fue posible desplazar esas moles pétreas durante kilómetros en una isla donde apenas existen árboles que pudieran ser tallados para poder deslizarlas. La utilización de cuerdas parece factible, pero los habitantes, ya lo sabemos, apuntan hacia la utilización de potentes fuerzas espirituales —*mana*[33]— en su traslado y colocación.

El sol, que primaveralmente surgiera entre las nubes, vuelve a desaparecer entre estas, y no tarda en caer una lluvia fina y penetrante. El neozelandés y la boliviana corren en dirección al escúter y lo mismo hacen Alain y Damián.

—Es una lástima —dice este.

—Volveremos, por supuesto. No es posible verlo todo en un día. —Consulta de nuevo el folleto—. Mañana podemos ir al museo Englert, donde está la tablilla que aclara el misterio de la isla. Será apasionante.

Al llegar al hotel, la lluvia ha arreciado. Se escuchan voces animadas; huele a café y a humo. El espacioso recinto bulle con los más heterogéneos idiomas, que se entremezclan con la música isleña. Alain y Damián se sientan ante una mesa cerca del bar. Frente a ellos y a los lados se ven grandes gobelinos y murales con motivos pascuenses, mayores aún que los del comedor. Uno de ellos atrae la atención del francés: es Hotu Matu'a plantado en la tierra del Poike, cubierto con una capa de fibras encarnadas, azules y verdes, tocado con un sombrero de plumas de ave, sosteniendo en su diestra el *ao*[34] y en la otra

---

[33] Poder misterioso de las fuerzas espirituales.

[34] Cetro de mando.

un enorme *kohou rongo rongo*[35] o tablilla parlante. Un *reimiro*[36] pende de su musculoso cuello.

—Me hace recordar los murales de la catedral de México —dice Alain.

En una mesa distante, junto a otro más pequeño —la ceremonia del Manutara—, la boliviana y el neozelandés se besan, como los vieran hacerlo en el avión, ajenos a las miradas de quienes los rodean. Diálogos en voz alta y baja se entremezclan a lo largo de la barra del bar.

La música nativa, *Hiro-Hiro te tang*[37], llega desde todos los ámbitos, al tiempo que el bullicio del bar y de las salas vecinas se torna más descontrolado. Además del *slue mixed drink*, el «licor de la muerte», desfilan bebidas autóctonas y mezclas tan complejas como los idiomas en que se expresan, espoleando todas ellas el humor de viejos y sobrevivientes; porque, en efecto, lo son, cualquier edad que tengan, idea que muchos parroquianos incluyen en sus más banales conversaciones, sobre todo al avanzar la noche y sus niveles de consumo de alcohol

—Hasta los niños lo son —observa Zeid Abdel Hamid a la tarde siguiente, un hombre moreno de maciza contextura, comerciante de Omán que, como otros, ha ido a parar allí huyendo de su propia sombra—. Lo son —repite, bebiendo un trago de pisco *sour*— mientras no crezcan. Tengo cuarenta y un años; me faltan dos para salvarme.

---

[35] Se conoce con el nombre de *rongo rongo* a un sistema de escritura descubierto en la isla de Pascua en el s. XIX, tallado primordialmente con puntas de obsidiana, en su mayoría sobre tablillas de madera. Los habitantes nativos de la isla de Pascua la llamaron también *kohau rongo rongo*.

[36] Adorno pectoral en forma de medialuna.

[37] «El pensamiento llora».

—A mí, tres —apunta Ognia Tzonchev, un ingeniero de Plovdiv—. Nuestro hijo cayó hace seis meses. Estaba tendido en una playa de Sozopol, en el mar Negro —mira a su mujer y dice—: Vana, mi esposa, estuvo postrada en un sanatorio. Eso me decidió a proponerle este viaje.

Algunos viajeros parten y otros los reemplazan y a veces Alain y Damián comparten alguna mesa con pascuenses y turistas en bares y discotecas. Adornados con guirnaldas de flores, atractivos isleños danzan una de aquellas noches en el Tare Tare, una *boîte* situada en Mahoru. Al compás de la guitarra y de otros instrumentos, como el *kahuahua*[38] y el *hio*[39], van enhebrando los movimientos de un *sau-sau*[40]. Ocupando unas butacas muy próximas al escenario, los jóvenes observan las insinuantes ondulaciones de la cantante en el pequeño escenario. No parece tener más de dieciocho años y una perturbadora sonrisa ilumina su rostro.

—Es un delicioso bombón —observa Alain, sin despegarle la vista—. ¿Te imaginas amaneciendo con ella? Se lo propondré una de estas noches. Tendría que llevármela a otra habitación... a menos que quieras presenciarlo todo o compartirlo.

La evasiva respuesta de Damián queda diluida en el torbellino de los instrumentos y los aplausos que arranca el grupo folklórico que interpreta el tradicional *kaunga*, en la que bailarines de ambos sexos, sosteniendo un corto remo o pagaya, se mueven cadenciosamente en una simbólica alegoría que centenares de años atrás permitía a los jóvenes establecer amistad amorosa.

---

[38] Primitivo instrumento hecho de quijada de equino que se golpea con la mano.

[39] Flauta de bambú.

[40] Baile folclórico de la isla de Pascua con influencia samoana.

Premiados de un mapa turístico y un escúter, discurren por varios puntos de la isla, conversando con turistas y nativos en cualquier idioma o compartiendo un vaso de *huari* —vino, cerveza o pisco—. En medio de esas tertulias, más de algún pescador pascuense ha escuchado, sorprendido, cómo Damián despliega su experiencia para obtener una mejor cosecha de peces y langostas.

—¿De dónde eres que sabes tanto de pesca? —pregunta una tarde Marco Pakomio, un corpulento cuarentón dueño del Te Api, concurrido recinto situado en Atamu Tekena—. ¿No eres forastero como tu amigo francés?

—Soy de Juan Fernández —explica, sentado ante el mesón donde hay media docena de tipos extraños.

—¡Haberlo dicho antes! ¿Eres entonces de los nuestros? ¿Qué te parece, Fernando? —Vuelve la cabeza hacia alguien que, acompañado de su mujer, bebe un vaso de vino—. ¡Este chico podría darnos lecciones! —Y seguidamente los presenta, diciendo—: Es Fernando Araki, uno de los mejores talladores de la isla, y su mujer, María Atan, directora de un conjunto folclórico.

Alta y huesuda, con una mal teñida cabellera color caoba, esa última comenta, dirigiéndose a Damián:

—¿Y qué haces en Rapa Nui? ¿De paso?

—De paso; vamos a Australia.

—Supongo que regresarás —inquiere Fernando Araki, cuya rechoncha estatura contrasta con la de su mujer y la de la mayoría de los pascuenses.

—No lo sabe —interviene Alain—, ni él ni yo. Vamos de un lado a otro distrayendo la peste.

—Mejor no hablar de eso —barbota Marco Pakomio, llenando con cerveza las jarras.

Alain lo mira aprensivo.

—¿También aquí?

—¿También? Pero si… bueno, aquí nosotros hemos perdido amigos y parientes. Me había propuesto no hablar de eso.

Una joven aparece en esos momentos y Marco Pakomio la presenta a los forasteros: es Isabel, su hija. De ojos parecidos a los de su padre, estrecha la mano de ambos y luego saluda a Fernando Araki y a su mujer; después se dirige a una mesa para atender a unos escandinavos que acaban de ocuparla.

—Mi hija está estudiando —explica Marco ante una pregunta de Alain—, pero le gusta venir a darme una mano, sobre todo cuando su madre está ausente. Valeria, mi mujer, ha ido al continente, al *conti*, como decimos aquí.

Cuando media hora después Alain y Damián se despiden, Fernando Araki comenta:

—A esos dos los he visto varias veces en la isla; al principio creí que eran maricones. —Y al ver la expresión de extrañeza de Pakomio, añade—: ¿Por qué te sorprendes? Con lo de la pandemia algunos tipos se transforman en homosexuales; lo leí en una revista.

—Debes haberla leído al revés. Eso les ocurre a las mujeres, que no saben qué hacer, solas, sin hombres.

—Bueno, déjalos que hagan lo que se les ocurra —comenta María Atan, mordisqueando un emparedado—. ¿Quién puede encontrar malo o bueno lo que haga alguien hoy?

Una tarde, el isleño ve dirigirse a su habitación a Alain acompañado de la joven, casi adolescente, que cantaba en el Tare Tare, quien ha terminado sucumbiendo, sin demasiados remilgos, a subir con él después de terminar su trabajo.

Abrumado por un confuso sentimiento de humillación, Damián ocupa un cuarto cercano en el mismo piso, alimentando su fantasía que se fragmenta en un masoquista aislamiento. A la mañana siguiente, Alain se complace en relatarle los pormenores de aquel encuentro.

—¡Sabe tanto como una fogueada parisina! Pudiste haber presenciado esa batalla. ¿No te entusiasma pensar en tenerla entre tus brazos? Bastaría que yo se lo insinuara.

—Lo pensaré.

—Algún día, cuando esta pesadilla termine, te haré conocer mujeres sensacionales, sobre todo en París. Ya sé lo que estás pensando. No creas que Denise no está enterada. Ella comprende que son aventuras necesarias para preferirla y amarla mejor. Quizás te cueste comprenderlo.

Damián lo escucha con aire atolondrado. Envidia secretamente su apolínea estampa, que genera en las mujeres una ansiedad indisimulable, como pudo comprobarlo en Robinson, donde las turistas se volvían impúdicamente a mirarlo. Pero no es solamente su gallardía la que despierta la ansiedad femenina, sino, además, su atractiva voz cuando, animado por unos tragos, canta acompañado de una guitarra en alguno de los bares o tabernas que frecuenta con su compañero de viaje.

Timoteo Paoa es un pescador alto como un moái, de tostada piel, con quien ambos han simpatizado. Juntos comparten unas copas de *huari* en el Te Api. Animados por Timoteo, alternan varias jornadas pesqueras en Vinapu, Petokura y Hanga Piki, donde Damián exhibe su destreza, entusiasmando a Timoteo y a otros pescadores. No obstante, se resiste a los ofrecimientos que le prodigan para quedarse. Se propuso olvidar por un tiempo su vida de pescador, explica, aunque admite la posibilidad de acceder si logra escapar de la peste.

—Comprendo —dice Timoteo Paoa—. Aquí siempre estaremos con el miedo a morir. Ya han caído varios. Mi mujer perdió a su hermano Lari y está siempre temerosa por mí, a pesar de que ya tengo cuarenta y dos años.

—El padre de mi amigo murió hace poco —explica Alain—: era pescador como él.

Timoteo lo mira en silencio.

—Lo siento —dice—, pero tú volverás. Confío en Make-Make, el dios de nuestra isla. Seguramente ya lo has oído mencionar. Make-Make revivió en nuestras creencias, y sabrás por qué si es que has estado en el museo Englert.

—Sí, por supuesto.

—¡Rogaremos para que regreses a Rapa Nui! Tú y tu amigo. —Y roza su copa de vino con la de ambos.

—Mi padre falleció hace diez años, dos meses antes del cataclismo del 28 —interviene Marco Pakomio agitando una coctelera—. Todavía no existía la peste. Quizás sea mejor que haya muerto. Era muy sensible. Si estos dos forasteros amigos se quedaran, podría invitarlos a un *paina*[41] que he organizado en su homenaje.

—¿Estás hablando en serio? —inquiere Timoteo Paoa.

—Naturalmente. Reviviré su espíritu. Mi padre era tradicionalista y yo también.

Damián y Alain intercambian una mirada.

—Es una lástima —comenta este último—. Para entonces no estaremos en la isla, pero puedes tener la seguridad de que no vacilaríamos en asistir. ¿En qué consiste?

---

[41] Rito funerario musical.

Timoteo es el encargado de describir ese rito, actualizado, como muchos otros: simbolizan la reencarnación de un antepasado mediante una réplica vegetal de su figura coronada por una calavera.

—Es esa ceremonia que ha mencionado Pakomio, él tendrá que representar a su ancestro, metiéndose en la envoltura vegetal y comer trozos de ave a través de la abertura donde se encuentra la boca.

—¡Una formidable escena! —comenta Alain—. ¡No podría perderme ese ritual!

—¿Has grabado mucho? —inquiere Marco Pakomio, repartiendo en las copas el pisco *sour*.

—Sí, dispongo ya de bastante material: el Rano Raraku, muchos *ahu* y escenas de pesca, pero nos falta recorrer los sitios más importantes. ¡Hemos estado mucho tiempo en las cantinas! —agrega—. Nos gustaría captar una de esas pintorescas ceremonias como la que acabáis de describirnos. —Roza su copa con la de los demás—. ¡Volveré, os lo prometo! Y no solo, sino con Denise, que será mi esposa. Estoy seguro de que ella quedará fascinada con esta isla y vuestra hospitalidad.

Una noche, mientras paladean una sopa de langosta, Alain pregunta a Damián lo que ha estado reteniendo desde que lo conociera: acerca de sus aventuras amorosas en la isla.

—Bueno, en la tuya —aclara—, porque aquí has estado todo el tiempo conmigo y no te he sorprendido inquietud por atrapar a alguna, aunque sabes que muchas han estado provocándote.

—No he estado aún con ninguna mujer —dice Damián.

Alain detiene su cuchara llena de sopa y se queda mirándolo con aire perplejo.

—¿Por qué? ¿Es que no hay chicas en tu isla?

—Sí, las hay; soy tímido. —Alain lo mira extrañado—. Soy torpe para hablar con ellas. En una ocasión, una turista se mofó de mí cuando le propuse salir en el bongo, me hizo sentir muy mal.

—¡Cambiarás, créeme! Cuando estemos en Sídney, comenzará tu aprendizaje. De todos modos... me parece increíble, ¡y en estos tiempos!

Al día siguiente, después de pasar una tarde en el *ahu* Tongariki, al que Fernando Araki se ofreciera para llevarlos, se dirigen a la taberna Vaka Poe-poe, ubicada en la vieja plaza de Hotu Matu'a. Durante el trayecto, Fernando explica a los acompañantes la leyenda de la piedra plana de Vahi maho con las cuarenta víctimas infantiles y la función de los enormes ojos en los moáis, tallados en coral blanco y con oscura pupila de piedra volcánica. El moái más más representantivo es el de Ahu Tahai, del que impresiona sobre todo el halo blanquecino que desprende al atardecer y que le hace parecer un semidiós; mientras que el conjunto de moáis de Tongariki parece mirar hacia las estrellas, como si estuvieran esperando a lejanos visitantes.

—Cuando a un moái se le colocaban los ojos, la figura atrapaba el *mana* de sus antepasados a la vez que protegía a esa persona y a toda la población, convirtiéndole en un *aringa ora*, que quiere decir «rostro viviente».

Una vez llegados a la taberna se apodera de ellos una híbrida confusión de risas y voces internacionales, dominante en aquel ambiente pascuense. Dentro de una estantería se ven réplicas del *miro* o moái bicéfalo, iluminadas por un haz de luz verdosa. Más allá, sobre unos cacharros de arcilla negra de

Quinchamalí y de Pomaire[42], un grabado de chillones colores reproduce la fuga de Poie al cerro Tangaroa, en Tuutapu, perseguidos por los guerreros de Ko'u aro.

Alain y sus dos acompañantes ocupan una mesa y piden chicha. Según explicará Clene Roe, la nativa que acude a atenderlos, es una chica recién llegada.

—Nos has impresionado con esa leyenda del Tongariki —comenta el francés, mirando el tallador de moái—. ¿Tienes que repetirla a menudo?

—A los amigos. Y no cobro. Hay guías, más mujeres que hombres, que se dedican a eso. Yo lo hago por simpatía. ¡Salud!

—¡Salud, Fernando! ¿Y tu mujer... también te acompaña?

—Sí, a veces; ahora se quedó en la cooperativa. Ensaya para un festival folclórico.

Un hombre esmirriado y renqueante, de pelo hirsuto, se aproxima y ocupa un sitio al lado del tallador. Lo acompaña Timoteo Paoa.

—¡Hola, forastero! —saluda este—. Aunque en realidad tú no lo eres —rectifica, poniendo su mano en el hombro de Damián—: eres de los nuestros. Bueno, este es Anastasio Paté, el mejor antorchero de Pascua.

El lisiado pescador —tiene unos penetrantes ojos oscuros— mira a sus dos nuevos amigos y extiende una mano gruesa y curtida por soles y sales.

—¿Queréis cenar con nosotros? —ofrece Alain, divertido con su atropellada verba.

---

[42] Ambas poblaciones se dedican a la artesanía en la zona central continental de Chile.

—Te aceptamos algo de beber —dice Timoteo—, ¿verdad, Anastasio? Un vaso de vino y un sándwich.

No tarda la tímida Clene Roe en traerlos: emparedados de cerdo y empanados de *ostión*[43], que terminan compartiendo.

—¿Cómo supiste que estábamos en el Poe-poe? —inquiere Fernando Araki.

—Tu mujer nos dio el dato —explica Anastasio Paté, pasándose una mano por sus rebeldes mechas—. Estaba en la cooperativa con las integrantes del conjunto Kai Kai. Nos dijo que habías salido de excursión con tus amigos.

—Fuimos por Hanga Nui y Tongariki. Pensábamos llegar hasta el Poike, pero se largó a llover. ¡Estas empanadas son formidables! —exclama engullendo una.

Alain ordena traer otras junto con nuevas jarras de vino y chicha. Turbada, Clene Roe no tardará en colocar delante del forastero lo que este ha pedido y, por unos instantes —leve relámpago de luces cruzadas—, sus miradas se interponen. Una voz lastimera, varias juntas, emergen desde los amplificadores cantando *Rari raro*[44], la música y letra oscilando en su volumen, descendiendo y ensordeciéndose conforme a la algarabía del recinto. Ante una pregunta de Damián respecto a la cojera de Anastasio Paté, Timoteo Paoa explica que fue a causa de un accidente durante un *entorchao*[45].

—El hotel Akahanga suele organizarlos para los turistas —recuerda Fernando.

---

[43] Vieiras.

[44] «Manos mojadas», canción polinésica con ritmo de vals, que alude al desencanto de una meretriz.

[45] Pesca nocturna valiéndose de antorchas.

—Sí, ¡ya presenciamos uno! —informa Alain—. Fue inolvidable. Había entre ellos un tipo delgado como tú —agrega dirigiéndose a Anastasio; y ante la inesperada risa de este y de sus acompañantes, inquiere—: ¿He dicho alguna barbaridad? No sé bien expresarme en español, ¡a lo mejor dije alguna tontería!

Timoteo lo tranquiliza, explicándole que el antorchero que admiraba noches antes, no es otro que el mismo que está ahora a su lado.

—Efectivamente, ¡era yo el que estaba allí! —reconoce el aludido—. ¡Claro que todavía no nos conocíamos!

Alain y Damián se echan a reír.

—Bueno, ¡sea como sea, estuviste formidable! —exclama el francés—. ¡Parecías inspirado metido allí entre esas rocas! Brindemos entonces, y con toda la justicia, por el mejor antorchero de Rapa Nui. ¡*Manuía*![46]

—¡*Manuía*! —corean los demás, entrechocando copas y vasos. Timoteo aprovecha para preguntar si han recorrido los lugares tradicionales de la isla. Ambos intercambian una mirada culpable.

—¡Temo que nos falta por ver casi todo! —declara Damián, achispado ya—. Vamos demasiado lento.

—¿No crees que debemos confesar que la mayor parte de nuestras horas transcurren charlando en tascas y tabernas? —dice Alain—. Bueno, la verdad es que aún nos falta mucho por recorrer, y no nos gustaría participar en grupos organizados.

—Mi hija suele acompañar a los forasteros del hotel Hekil, mañana iré con ella al Te Api. Podemos juntarnos y se la presentaré.

---

[46] «¡Salud!».

—¿Tienes una hija? —pregunta el francés.

—Tiara ha cumplido dieciséis años. Me casé joven.

—Te envidio. ¡Tener una hija adolescente a tu edad! Creo que estoy perdiendo el tiempo viajando tanto inútilmente en busca de algo que no existe.

Timoteo llena de nuevo su vaso con vino.

—Bueno, imagino lo que estás pensando.

—¿Verdaderamente confiáis en vuestro dios como el que nos han enseñado desde niños? —inquiere Alain.

—¡Sí, por supuesto! Sobre todo después del cataclismo del 2028. Constituyó una desgracia, pero al mismo tiempo una advertencia que nos hacía falta, volver a creer en lo nuestro, que la soberbia o incredulidad nos había hecho perder u olvidar: en Make-Make[47], el *mana*, en el *aku aku*[48] y otras cosas.

—¿Estabais en la isla?

—Todos perdimos nuestras casas y empezamos desde cero —interviene Fernando Araki—. La lava sepultó familias, casas y animales; las olas arrasaron con los *ahu* y los moáis costeros, como había ocurrido en 1960, cuando destruyó el *ahu* Tongariki; pero eso fue una travesura del mar comparada con el maremoto del 28.

—Te has olvidado de mencionar el *kohou rongo-rongo* —le recuerda Fernando Araki.

—Sí, tienes razón; fue ese el hallazgo más importante, desde el punto de vista arqueológico, la tablilla parlante, en dos versiones ideográficas. Aclaró el enigma de nuestro origen y en él estaba señalado ya el cataclismo del 2028 y otros que vendrán.

---

[47] Deidad polinésica presente en la mitología.

[48] Espíritu de los muertos.

—Estuvimos en el museo a poco de llegar y quedamos impresionados —dice Damián en el momento en que su amigo francés pregunta cuál es la actitud de los religiosos de la isla en relación con esa nueva mística generada por los hallazgos del *Rano Aroi*[49].

Timoteo se apresura a explicar que la mayoría de los pascuenses continúan asistiendo a las tres iglesias existentes en la isla.

—Es, en el fondo, lo mismo —aclara—: todos los dioses no son sino uno, no importa el nombre que tengan. Mi abuelo fue amigo del padre Sebastián Engler, que inició el museo de Pascua. Él comprendía que nuestro Make-Make no podía ser diferente a su dios. Respetaba nuestras creencias.

Luego informa que posee una réplica de la golondrina de arcilla encontrada en el Rano Aroi y los invita a conocer su casa.

—Además —agrega—, tendremos un *tunuahe*[50] de despedida para nuestros huéspedes, una pareja de serbios que escaparon de la primera guerra genética que los rusos emplearon en los Balcanes. Todo había comenzado como una guerra convencional con diversas escaramuzas. Sin embargo, una de las facciones militares más nacionalistas de los rusos había liberado en una base militar polaca uno de los primeros virus que no actuaban de manera tradicional sino alterando el material genético de su víctima. El virus se había extendido como un caballo de Troya alterando el ADN entre la tropa de la debilitada OTAN apenas provocando sintomatología inicial, pero, finalmente, había sido activado automáticamente

---

[49] Pequeño cráter con una laguna interior cubierta de juncos de totora, que es la tercera reserva de agua dulce de la isla.

[50] Comida típica pascuense a base de carne, pescado y mariscos que se asan en un hoyo en el suelo.

después de acabar su latencia de noventa días para luego autodestruirse. Los rusos ganaron la guerra sin apenas disparar un tiro mientras que las tropas occidentales abandonaron sobre el terreno prácticamente la totalidad de su arsenal bélico firmando la paz en Gotinga, nuevo límite fronterizo de la cada vez más jibarizada Confederación Franco-germana — explica—. Vendrán además otros amigos a la cena, ¿por qué no os animáis?

Alain y Damián se miran entre sí.

—¡Me parece una buena idea! —aprueba el primero—. ¿No opinas lo mismo? —Y se vuelve a su amigo.

Cuatro días más tarde, el pastor Jannson volvió a Hörningnäs, acompañado esta vez de Alwa Strömberg, su esposa, convertida ahora en Alwa Jannson.

Stig la recordaba por aquella borrosa tarde en la Skär Vår y a través de las fotografías de los medios informativos que dieron cuenta de los sucesos. Ahora frente a Stig, a este le pareció como si fuese una persona que nada tenía que ver con los acontecimientos y hasta sintió el impacto de su belleza. Asida al brazo de Lars, miraba al actor con sus pequeños ojos azules. «Sí, ha sido un buen reemplazo», pensó.

—Hola, Stig —fue lo primero que dijo Alwa, sin apartarle la vista. El actor se preguntó cuál era el significado de esa sonrisa insoportable. ¿Era el mensaje de paz, la invitación a la reconciliación y al olvido? ¿La había traído Lars para eso?
—El pastor quería verte ¡Desde que estaba en el hospital! Sabes que no está resentido contigo.

—Debería estarlo —respondió el actor. Tenía deseos de insultarla; le costaba soportar su dulzura. ¿No era acaso la culpable de todo? Pero quizás si no fuese ella sería otra, y habría dado lo mismo; fue esta reflexión lo que reprimió su descortesía.

—Es importante que lo olvidemos todo —intervino Lars con voz cautelosa—. ¡Alwa y yo lo hemos logrado, Stig!

—El pastor reza por ti cada noche... ¡rezamos juntos! —aclaró Alwa.

Stig la miró de nuevo con acritud. Contemplaba su cabellera de platino, esa cascada exuberante y turbadora, su rostro perfecto, casi adolescente, los pómulos prominentes. (*Este cuerpo que Lars besará cada noche con pasión desvergonzada y del cual arrancará gemidos de placer, como los arrancaba de mí. ¿Qué maldita hiena yace dentro de su atuendo de religioso? Me pregunto cómo puede, sin asco, encontrar deleite en una piel femenina después de todo lo que juró que en mí era insustituible. ¿Soy yo o él quien está perturbado? Quizás debí haberle liquidado con un tercer disparo allí en la Skär Vår. Sí, debí vaciar todo el cargador sobre ambos*).

Llevó distraídamente la mano a su cabeza. ¿De qué le había servido esa cansada resignación que le procuraban las páginas de la Biblia? Todo parecía de nuevo retomar la oscura vertiente del odio y del asco. Alwa y su examante lo miraban con extrañeza y no tardaron en comprender que Stig estaba incómodo. No era razonable prolongar una visita que parecía disgustarlo. Después que abandonaron la prisión, el pastor se preguntó si fue la presencia de Alwa lo que lo había descompuesto, y transcurrieron diez días antes de que volviera a visitarlo de nuevo, esta vez solo.

—Temo que estuve descortés cuando viniste con tu mujer —se disculpó Stig. Tenía un aire distante.

—Ya lo hemos olvidado, Stig. Tanto Alwa como yo deseamos que esta pesadilla termine. He venido a hablarte de esto, como te adelanté la primera vez. —Stig lo miró oblicuamente. Entonces oyó de nuevo a Lars hablar sobre el proceso; todo podía seguir un curso más favorable de lo previsible—. He hablado con mi abogado —explicó Lars—. Cree que mi declaración será decisiva. Espero que esa noticia te alegre.

—Te dije que me daba lo mismo. De todos modos, te agradezco que te intereses por mí; aunque me pregunto si vale la pena hacer una cosa y otra.

—Nuestro destino es incierto, Stig; el tuyo y el mío, ¡el de millones de hombres! Cualquier día podemos caer atrapados, pero ese temor no debe impedirnos cumplir nuestra misión, cualquiera que sea. ¡Eres uno de los mejores actores de Escandinavia! Dag lo reconoció públicamente. Sin ti el Dramatiska se ha resentido. Tu deber y tu amor están en el escenario. ¡Es allí donde te conviertes en un pequeño dios! Espero que estés libre dentro de poco —vaciló, y cambiando inesperadamente de tema, preguntó por sus horas muertas—. ¿Habías vuelto a leer la Biblia que te hiciera llegar Börje Nyström?

—Sí, a veces, cuando estoy aburrido.

—¿Te ha impresionado algún capítulo?

Stig lo miró sombríamente. Con voz lejana murmuró:

—Creo que he retenido algo… «Ay de los corazones tímidos y de… las manos flojas —titubeó, sin apartarle la vista— y del pecador que va por doble camino…».

—Lo recuerdo… es una parte del Eclesiastés, no puedo precisar cuál. Después viene algo así como «del corazón cobarde…» —se detuvo, turbado—. ¿Por qué has escogido esa cita?

—Tal vez se me grabó más que otras.

El pastor miró la hora y dijo:

—Algunos amigos han llamado para preguntarme si deseas recibirlos; Vilhem Grahn, por ejemplo. Él y su mujer, Diana, desean verte. El sábado jugará con el equipo polaco.

—¿Todavía queda alguien que se entusiasme con un partido de fútbol?

—Sí, todavía. Como los que asisten al Dramatiska. Siempre será así, aunque solo quede un puñado de gente en la Tierra.

Knud Burgenhammar se acercó para gruñir en voz baja que había llegado el momento de finalizar la permanencia del pastor en la sala.

Las gestiones que el pastor realizara conjuntamente con su abogado, marchaban, en efecto, satisfactoriamente. Se daba como un hecho que el veredicto del juez, sería benévolo para el actor. «A lo sumo, unas pocas semanas más y estará fuera», vaticinó su abogado. Entretanto, Stig permanecía en su confortable celda, alternando sus reflexiones con variadas lecturas y aceptando, menos sombríamente, las visitas de sus compañeros de tablas.

Dos semanas después, una calurosa mañana de julio, Lars Jansson apareció en el locutorio de Hörningnäs. Parecía envuelto en una luz turbadora.

—Quisiera que me escuches con atención, Stig… Dentro de poco serás hombre libre. ¡Empezarás una nueva vida! Pero es necesario que ella sea… cómo decirte, ¡que sea nueva en todo sentido, Stig! —Hizo una pausa, notoriamente alterado. La partidura de su cabello parecía más profunda, separando dos continentes, los de su cobriza cabellera.

—No sé a qué te refieres —dijo el actor con dureza.

—¡Una nueva vida, en todo sentido, Stig! Hace poco conocí al profesor Moberg; supongo que has oído hablar de él. Es el director de la prestigiosa clínica de rehabilitación emocional.

Stig lo miró extrañado.

—Ignoro lo que realmente me propones —dijo, a pesar de que comenzaba a comprenderlo.

—¡Deseo que llegues a desprenderte de tus obsesiones! Vives el amor como una fijación. ¡Tienes que liberarte de esa esclavitud, como estoy seguro que anhelas! Un hombre que sepa amar y eternizarte, si así lo deseas, en un hijo. ¡Es un mundo al que debes tener acceso, Stig, el fascinante mundo del amor sin esclavitudes!

—Ya lo conocí, Lars, y está perdido.

El pastor lo miró con expresión sombría.

—Esa aventura que compartimos tienes que olvidarla, Stig, como yo he olvidado el episodio de la Skär Vår... Son dos pesadillas inútiles... Créeme, si te resuelves a aceptar, seré yo mismo quien te acompañará donde Andreas Moberg. ¡Te acogerá con afecto, puedes creerme!

—Sigues hablando como un pastor —barbotó Stig, tras un áspero silencio—. Prefiero que alguna vez me visite Lars Jannson, el que conocí y amé.

—Ese ha muerto, Stig.

En un extremo del amplio escenario del Ko Shing Opera House, los claros ojos de Griffin Bates, el violinista de la orquesta, alcanzan a distinguir la figura de Vincent Mac Lain en la penumbra del palco, rodeado de dos mujeres, la pelirroja Janet May y su amiga tailandesa, privilegiadas huéspedes del cantante norteamericano en su primera presentación en Hong Kong. Será esta noche para ambas, y para el múltiple público que colma la tradicional sala, una velada inolvidable. De pie en el centro del escenario, realzada su figura por los multifacéticos reflectores, Barry canta la doliente canción de *Danuta Chikiewicz*[51]. Inclinada al borde de su atalaya, la rojiza cabellera ocultándole parte del rostro, Janet May se vuelve a su amiga tailandesa:

—¿Verdad que es formidable escucharlo tan cerca, Sidchalean? ¡Me parece un sueño que hayamos sido invitadas por él mismo! Ya podrás contarle mañana a tu compañera en el Mocambo. Se morirá de envidia, igual que mis compañeras de hospital.

Más tarde, al finalizar la función, ambas se dirigen al camarín del artista. Sidchalean parece tan turbada como lo estuviera antes.

---

[51] Conocida intérprete polaca por su canción "Samotnie bez Ciebie" (Solo sin ti) que hace alusión a la muerte de su amante en los primeros meses de la pandemia.

—¡Me he conmovido! —confiesa.

—¡Pensaba en vosotras mientras actuaba! —dice Barry.

—¡Sidchalean lloró recordando a su padre y a su hermano! —interviene Janet—. Ambos murieron por la peste en Tailandia.

Al abandonar el Ko Shing Opera House una hora más tarde, en la rumorosa Queens Road el artista propone compartir una cena en el Golden City, a escasa distancia de allí.

—Supongo —dice, volviendo la mirada a la tailandesa— que no tendrás que estar esta noche en el bar del Mocambo.

—No, estoy libre hasta mañana —le explica Sidchalean.

Horas después, los componentes masculinos de la orquesta, a excepción de Griffin Bate y el baterista James Dunn, que deciden incursionar junto a sus amigas Florence Wilth y Mia Makelway otros sitios nocturnos, abandonan sucesivamente los comedores del Golden City y el bar del Tai Tong, donde han coronado la agitada noche, y suben al automóvil de Barry. Atrás, entre el pianista y Vincent Mac Lain, se ha acomodado una tercera amiga.

Helvi Kylliäinen, la nueva huésped, es una pálida finlandesa de 31 años a quien Janet May ha arrancado de su cama en Haiphong Road, para reforzar el equipo de mujeres que confrontará a sus tres anfitriones. Alta, de cabellos color miel, Helvi es rápidamente acaparada por Vincent Mac Lain, que, estimulado como los demás, rodea su talle, insólitamente desinhibido. Viuda desde hace algunos meses, Helvi Kylliäinen ha desembocado, como gran parte de los viudos solitarios, en una atormentada sucesión de aturdimientos. La presencia de Barry Fletcher, sentado al volante, le parece inverosímil.

—¡Cuando Janet me aseguró que estaría en el grupo, pensé que se trataba de una broma! —confiesa más tarde, mientras beben las últimas copas de *shaoxing*[52] en el que se supone será el último bar de la madrugada, el Princess Garden de Kowloon.

—¡Es una lástima que Janet no se haya acordado de ti antes del programa! —dice Barry—. Habrías podido estar en el palco acompañando a nuestras amigas; pero, en fin, no será mi único recital en la ciudad.

—Mañana actuará en el Mandarin Room del Miramar —informa Vincent Mac Lain, desnudándo anticipadamente a la chica con la imaginación—. Allí podrás escucharlo.

No demasiado proclive a la infidelidad, la presencia de la finlandesa ha logrado esta vez arrancar al agente artístico de su prudencia amatoria, olvidándose o tratando de olvidar a Mildred y a su hijo Tom, a quienes, conmovido, ha visto y sentido mediante su *neolink* dos días antes, oyendo a ambos interminables palabras de nostalgia. Una música cantonesa emerge desde alguna parte del bar, mientras las exaltadas voces de los últimos bebedores agolpados en la barra —trasnochados chinos y occidentales— van tornándose más vociferantes a medida que se acerca el amanecer. Los párpados inertes por el suelo, mareada a su vez, Sidchalean siente el peso de las miradas de Barry, pero no se atreve a levantar la suya. No obstante, las tres copas de *shaoxing* que Janet le obligara a beber, parecen aflojar las ligaduras de su atávico recato.

Once meses antes, su padre, un veterinario viudo de cuarenta años, había sucumbido en Savanalok a causa de la peste. Dos meses más tarde le siguió Sanya, el único hermano

---

[52] Vino tradicional chino procedente de arroz fermentado.

de Sidchalean. La hermana mayor, Nutha, de veintitrés años, recién casada con un camboyano, decidió trasladarse a Hong Kong con su marido y arrastraron a Sidchalean con ellos, ocupando un pequeño piso en Woo Sung Street. Abatida aún por la tragedia de un hogar destruido, Sidchalean pudo, sin embargo, continuar sus interrumpidos estudios, gracias al estímulo de su cuñado; pero la muerte de este a las pocas semanas de llegar a Hong Kong empujó a Nutha a la desesperación. En ese estado, no tardó en liarse con un amante tras otro, y con el último de los cuales, un filipino, acabó marchándose a Manila y más tarde a Indonesia. Durante algunas semanas, Sidchalean recibió varias misivas procedentes de Manila, Luzón y posteriormente otras —cada vez más distantes— de Java, Sumatra y Bali, hasta que un desconcertante silencio se interpuso entre ambas. Indefensa y desorientada, Sidchalean pensó en regresar a Tailandia, pero su encuentro con Janet May en el hospital de Victoria y luego una creciente amistad que comenzó a unirlas la hicieron desistir de la idea. La joven inglesa la animó a compartir su piso de Kimberley, abandonando el que compartiera con Nutha y su marido.

Aturdidas por la extinción de la joven humanidad masculina, abrazadas en el compartido lecho, parecieron ambas alejar el fantasma del drama universal, entregándose a una intimidad cada vez más traicionera. ¿En qué momento estalló esa mórbida pasión generada en las simas de su compartida congoja? Inexperta sexualmente, Sidchalean terminó por sucumbir en el torbellino sensual de la fogueada enfermera de Liverpool. Ambas tenían conciencia de haber caído en esta vorágine de forma circunstancial, atadas por una pasión que solo reemplazaba caricaturescamente ese vacío sentimental que bullía en ellas, sobre todo en Janet, que contaba con varios amantes a su haber. En sus veintitrés años había recorrido tortuosos senderos eróticos, en contraste con la virginal tailandesa, para quien el amor hallábase agazapado confusamente en su fantasía y sublimado en ese otro camino que, asombrada y culpable, pareció descubrir en los brazos de la enfermera británica.

Un par de horas después, Janet detiene el coche ante el edificio de apartamentos de Kimberley Road, uno de los cuales, en el octavo piso, comparte con Sidchalean. Agobiada por el pudor y el miedo, esta rehúsa proseguir la juerga que Barry propusiera coronar en su elegante suite del Península, en el que se hospeda con sus acompañantes.

—¡Perdónala, no está acostumbrada! —le explica Janet, mientras sube con él.

El artista entorna los cortinajes para impedir que entre la claridad de la mañana y luego contempla cómo va surgiendo, cada vez más tentador, el atractivo cuerpo de Janet, que se desprende de sus ropas con experta fineza, fustigando su deseo, el flamígero cabello desordenado sobre los hombros.

—¡Ya sé que soñabas con estrujar esta noche el cuerpo de Sidchalean! ¡Confiésalo, Barry!

—Lo confieso.

—Ella es muy ingenua aún. ¿Sabes que apenas tiene dieciocho años? Y no ha amado nunca a un hombre.

—¿Estás segura?

Janet está a punto de confesar la verdad, impulsada por la embriaguez; le cuenta que, desnuda bajo sus labios, el cuerpo de la tailandesa se estremece cada noche con sus caricias, la errante lengua y boca británica cubriendo la virginal geografía de la piel aún intacta de Sidchalean, arrancando de ella y ella a su vez de Janet, ese placer que hubiera preferido cambiar por otro, como ese que ya comienza a generarse en su piel bajo las impacientes caricias de Barry. Enardecido este por la descripción que Janet hace del cuerpo de su amiga, la posee con la imaginación saltándosele en pedazos, la mitad proyectada en un pequeño piso de Kimberly y el resto volcado en la fogosa inglesita que no tarda en exhalar los primeros gemidos de voluptuosidad, vencida por el deseo, un deseo casi olvidado.

Tras la ardorosa batalla en que la sibilina amante británica ha recuperado su autenticidad amatoria, su voz envuelve a Barry para decirle:

—¡Ya sé que habrías preferido tener a Sidchalean en lugar de mi cuerpo! ¿La imaginabas en tus brazos mientras yo, sádicamente, te describía sus ondulaciones?

—Tu sadismo se acomoda bien a mi lujuria, querida Janet. ¿Crees que podrás convencerla?

—Barry, ¿estás realmente deseándola tanto?

Una semana después, el 25 de abril, en el acogedor bohío de los Paoa, en Hanga Ra-Otai, una rústica casa estilo pascuense construida sobre las ruinas que de la anterior dejara el cataclismo del 2028, Timoteo Paoa y su mujer reciben a los invitados al *tunuake*.

Ligeramente menos alta que su marido, Lidia Paoa, a quien presenta a Alain y a Damián, es una mujer de tez mate en la cual se asoma una sonrisa tímida.

—Tiara me ha hablado con mucho afecto de ustedes —exclama.

—Tu hija ha sido para nosotros una excelente guía —dice Alain—. ¡Ella nos ayudó a asaltar técnicamente Rapa Nui!

—¿Están hablando de mí? —surge repentinamente Tiara, convertida ya en amiga de ambos desde una semana antes, cuando los acompañara a recorrer varios lugares de la isla. De baja estatura en relación a sus padres, tiene un atractivo rostro en el que resplandecen sus pupilas llenas de luz. Se mueve ágilmente de la cocina al improvisado comedor armado a escasa distancia del *umu pae*[53].

Una voz familiar para ambos, la de Fernando Araki, surge entre los demás abrazándolos, y más atrás, su mujer,

_____

[53] Especie de fogón realizado de piedras propio de la isla de Pascua.

María Atan, sosteniendo la guitarra que contribuirá a levantar la animación en esa noche de despedida para la pareja serbia. Timoteo y su mujer los presentan no bien aparecen: Bragoslav Ovac, un marino retirado, de rubicundo rostro, y Draskic, su mujer, de cabellos trigueños y ojos soñadores.

Esgrimiendo varias botellas de vino aparece más tarde Marco Pakomio acompañado de su hija Isabel y, más atrás, el antorchero Paté, acompañado de su mujer, Silvana Rapahango, alegre y movediza a pesar de su embarazo, y el hermano de esta, Alejo, un alto y montaraz pescador de la caleta de Petokura, que saluda a los forasteros con aire ceñudo y que terminará sombríamente animado después del espoleo del *aku aku*[54].

—Este es nuestro recuerdo para la dueña de la casa y su hija —dice Alain luego de terminadas las presentaciones. Abre sendos estuches en cuyo terciopelo interior se encuentra, en uno un collar de esmeraldas y en el otro una fina diadema de oro en el cual está engastada la misma piedra. Lidia Paoa las contempla incrédula.

—¿Es posible que nos regales esto… a nosotras? ¡Es demasiado valioso! ¡Mira, Timoteo, qué maravilla!

—Las adquirí en Colombia —explica Alain—; compré dos juegos, uno para Denise, mi novia, y el otro… bueno, ¡el otro no tenía destinatario! Y, puedes creerme, me alegro de que seáis tú y tu hija las que la luzcáis. Tu esposo, además, ha sido muy gentil con nosotros… y Tiara…, bueno, ¡sin ella Rapa Nui estaría aún sumergida en la penumbra para nosotros! ¡Nos ha guiado y explicado todo de forma incomparable!

Uno tras otro se acercan a admirar los presentes.

---

[54] Cóctel a base de ron cuyo nombre pascuense significa "Espíritus guardianes".

—¡Son hermosísimos! —repite Tiara, que ha ajustado la sortija al anular de su mano, mostrándoselo a María Atan.

La misma ansiedad, una ansiedad casi infantil, embarga a su madre, que enseña el valioso collar aplicado a su cuello. Y mientras los vasos entrechocan en interminables brindis —«¡Salud!, ¡Santé!, ¡Manuía!»— María Atan comienza a rasguear la guitarra, haciendo brotar de ella la primera canción, *Kaikai te koro*, «Que vengan todos a la fiesta», un alborozado aire pascuense. Habituado Alain a cantar en varios idiomas, permanece atento a esa melodía que Tiara le traducirá más tarde.

Con un vaso de chicha en una mano y un extraño objeto en la otra, Timoteo se aproxima y le tiende una paloma con las alas extendidas, que Alain y Damián reconocen.

—¿Es esta la réplica? —pregunta Alain—. ¡Exactamente como la que vimos hace dos días en el Rano Aroi! —Y se queda mirando esa extraña cabeza que se asemeja a la de un búho—. En el sur de España —agrega—, en Huelva y Almería recuerdo haber visto ídolos con semejantes cuencas oculares como estas. Debo tenerlos entre mis grabaciones.

—¡Mi hija Tiara nos dijo que te entusiasmaste con las filmaciones! —interviene Lidia Paoa.

—¡Valía la pena! No hallo las horas de editarlas en París. Os mandaré copias del resultado final.

—¿Te acordarás de nosotros entonces? —pregunta Tiara.

—¿De vosotros? ¡Jamás podré olvidaros, como tampoco a esta isla en la cual me gustaría morir y haber nacido!

—¡*Manuía*![55] —estalla, interrumpiéndolos, la voz de Anastasio Paté. Sostiene un potrillo de vino en una mano, notoriamente achispado ya.

---

[55] «Salud». Brindis en pascuense.

Varias voces responden a su brindis, al paso que un nuevo aire nativo, *Ra au iti*[56], brota de la guitarra que María Atan ha vuelto a empuñar. Su voz es coreada por otras y la animación artística termina contagiando al invitado francés, que accede a cantar una canción que él compusiera años antes, *L'escarabee d'or*, y luego *L'automme pour toi*, que con más frecuencia se repetía en las discotecas de Europa. Algunas de sus letras habían sido condenadas por numerosos tribunales musulmanes, particularmente el del Estado Islámico Catalán, cuya sede principal se encontraba en Mataró; había expedido una orden internacional de busca y captura que, afortunadamente, tan solo era válida en aquellos países adscritos a la Interpol Panárabe.

El sortilegio de su voz, que algunos de los allí reunidos habían admirado en el Ahu Akahanga[57], mantiene a sus oyentes en progresivo embeleso, sobre todo a Draskic Ovac y a la asombrada Isabel Pakomio. Alta, de labios entreabiertos, esta parece hipnotizada escuchándolo. A poca distancia, la taciturnidad de Alejo Rapahango va tornándose más notoria, sus ojos grises clavados en Tiara, a la cual se aproxima con sugestiva frecuencia, acicateado por el licor que bebe impulsivamente. Entre una y otra canción que emerge de la privilegiada garganta de Alain, nuevas porciones de pisco *sour* o de chicha van premiándolo y, antes de devolver el instrumento a su dueña, decide cantar la melodía que simboliza el drama de la peste azul, en la versión francesa, *Mardi bleu*, que conmueve a los presentes.

Draskic Ovac se acerca al ejecutante:

---

[56] «La pequeña huasca».

[57] Plataforma ceremonial ubicada en el sur de la isla. Se cree que aquí está enterrado Hotu Matu'a, el primer rey de la *isla de Pascua*.

—¡Ha estado formidable! —exclama en su cálido francés.

—¡Mientras conducíamos el escúter por la isla —interviene Tiara— no me cansaba de oírlo! Damián es testigo.

Marko Pakomio explica que Erias Tuki presentó una versión de *Martes azul* en pascuense, pero que los integrantes del conjunto Kai Kai se negaron a cantar.

—En nuestro país también se escucha, incluso en la pequeña ciudad de Bihac, de donde procedemos —dice Draskic—. Bueno, en todo el mundo, supongo. Mi marido la oyó a comienzos de este año en una isla diminuta, ¿recuerdas que me lo contaste, Gragoslav?

—Sí, fue en Jan Mayens, cerca de Groenlandia. Un marino la cantaba en noruego.

La guitarra ha vuelto a manos de María Atan, que hace brotar de sus cuerdas otras melodías, *Ka Tangi te Hio a Matu'a*[58] y *Paihenga*[59], que entona con graciosa voz, acompañada de Isabel Pakomio y Tiara Paoa, que lo hacen en voz baja. Una alegre ovación premia a las tres al finalizar y terminan aceptando los vasos de chicha que les ofrece, inesperadamente despabilado, Alejo Rapakango, mientras Alain propone:

—Podríamos armar un conjunto internacional. Sería un éxito en Europa si incluyéramos vuestras canciones en el repertorio.

—¡Sí, es una excelente idea! —aprueba Lidia Paoa, colocando en sus manos un plato de atún con trozos de camotes, *a*úke, *miritonu*, ñames y *parai*[60].

---

[58] «Triste suena la flauta del padre».

[59] «La perra».

[60] Algas de la isla de Pascua.

141

El ya embriagado Alejo Rapahango se une al grupo que corea a María Atan y su áspera voz se confunde con la de las mujeres que cantan ahora *Ate manavamate o te vie*[61]:

Ka mau te turu-tutu aringa é

O hanga vare vare puhi é...[62]

Al concluir, María Atan extiende el instrumento a Damián, diciendo:

—¡Ahora es tu turno! A todos les llegará esta noche.

Envalentonado por el licor, el pelo caído sobre la frente, el isleño rasguea la guitarra. No tarda en escucharse su voz, poco diestra aún, que canta, como solía hacerlo con su padre en Robinson, *Un amor en Iquique* y *Matecito de plata*. Al terminar la última estrofa, Alain se acerca a su lado exclamando:

—¡Bravo! ¡Ten por seguro que serás incluido en el conjunto internacional! —Y mientras recibe de manos de Silvana Rapahango un vaso de vino, extiende la guitarra a Draskie Ovac, diciéndole, en francés—: ¡ahora es vuestro turno! A ti y a tu marido...

Bragoslav sostiene la guitarra y mira a su mujer con aire de resignación. Esta oprime el instrumento contra sí y su mirada se posa en el rostro de Alain. Pulsa las cuerdas, pensativa, y cambia con su marido algunas palabras en voz baja. Finalmente surge una vieja canción dálmata que cantan a media voz. El entusiasmo que despierta al terminarla los obliga a agregar otra, un aire oriundo de Brbovsko, que genera una extraña

---

[61] «Amor de la mujer para el hombre».

[62] «Traías en tus manos el bastón con cara y venías de Hanga Vare Vare, ¡oh, puhí...!».

emoción dentro del caldeado recinto pascuense. Timoteo Paoa se aproxima con un vaso de vino exclamando:

—¡Confieso que no entendí nada, pero estamos todos conmovidos!

—La música no necesita traducción —comenta Draskic, devolviendo la guitarra a su dueña, que a su vez la ofrece a Alejo Rapahango. Aferrado a su vaso de *huari*, este ha vuelto a exhibir una actitud taciturna.

—¡Ahora es tu turno, Alejo! —trata de animarlo María Atan, pero el pescador se resiste, argumentando que su voz es tan fea como su cara.

Presionado por todos, y especialmente por Tiara, que termina misteriosamente doblegando su resistencia, el pescador aprisiona la guitarra y rasguea las cuerdas, indeciso, pidiendo a su hermana que lo acompañe en la vieja canción *Tamate Raá*, «Sol naciente», que cantan a dúo, pero la aflautada voz de Silvana no tarda en dominar a la de Alejo; los aplausos, sin embargo, premian a ambos.

Tocando o cantando, solos o acompañados, cada cual se ha visto obligado a cumplir con su papel, y así han terminado haciéndolo Isabel Pakomio y su padre; Timoteo Paoa, su mujer y su hija; Fernando Araki y Anastasio Paté.

Con timidez en un comienzo, la atractiva voz de Tiara surge, entonando *Ka tere Te vaka*[63] y, más tarde, *La-Orona, Mama Lari*[64], un aire pascuense perdido en los nubarrones de los siglos. Los demás corean con ella, a excepción de Alejo Rapahango, que permanece obstinadamente amurriado, inmerso en su isla alcohólica. Damián sorprende cómo se deslizan algunas

---

[63] «Navega el bote».

[64] «Bienvenida, mamá Lari».

lágrimas por las mejillas de Tiara. (*Es posible que esté enamo-rándose de Alain; advertí la emoción que la embargó no bien lo vio aparecer, y también lo noté cuando recorríamos la isla en el escúter. Me hace recordar un poco a mi hermana Flora. Sí, era eso lo que me pregunté hace unos días cuando la conocí*).

La mirada de Damián horada repentinamente la urdimbre del tiempo y vuelve a verse en aquella mañana de febrero de 2027. Aún no había amanecido y un corro de pescadores aguardaba el momento en que compartiría con su padre la primera faena de pesca. Contaba escasamente siete años y sentíase ufano y arrogante con su chaqueta de cuero y sus botas engrasadas. Todo un hombre. Asomada a la ventana junto a su hija Flora, Liliana Rojas, su madre, le recordó que no se inclinara demasiado en el bongo. La gente fue bajando desde el camino hasta la bahía de Cumberland para presenciar ese pequeño evento. Y lo era, al menos para ese aprendiz de pescador. Una mujer joven, de largas trenzas, desciende por el camino. De su brazo cuelga un canasto con pan amasado que ha ido repartiendo en algunas casas, la de Sebastián Rojas entre ellas. «Toma», dice, alargando varios panes que extrae del cesto cubierto con un paño y los pone en la mano del pequeño pescador; «¡Para que comas mar adentro!». Sebastián la mira cohibido: «No debiste molestarle, Rosalba, ¡ya llevamos bastantes cosas para comer!»; «No importa, es para el niño», insiste la joven, y sale corriendo, las trenzas cimbreándose.

Las ovaciones y las risas apartan a Damián de sus recuerdos y se une a los aplausos, obligando a Alain a cantar otra canción, que será la última de la noche. El forastero titubea, mientras ve acercarse a la corpulencia estampa de Fernando Araki que sostiene algo en una mano.

—¡Es el brindis que haremos para que nos complazcas! —dice—. Vas a beber ahora de este *cacho*. —Y ante el asombro de Alain le explica que no es otra cosa que un cuerno de buey que tradicionalmente ha servido como receptáculo para bebidas alcohólicas.

Alain agota la última porción de chicha del criollo cuerno vaciado y se ciñe la guitarra que Tiara coloca en sus manos, pero Marco Makomio está ya a su lado para llenarla de nuevo, diciéndole, la voz aguardentosa:

—¡Salud! ¡Has sido el alma del *umu pae* en casa de los Paoa! El próximo será en mi casa, ¡para despedirlos… a ti y a tu amigo Damián! ¡Valeria estará ya de vuelta del *conti*!

—En cuanto a nosotros —interviene Bragoslav Ovac—, agradecemos la invitación, pero temo que no podremos asistir. Nuestro avión llega pasado mañana.

—De todos modos, ¡será como si estuviésemos a vuestro lado! —dice Draskic, entristecida.

Alain contempla las cuerdas, pensativo.

—Tocaré una canción que compuse a los diecisiete años. *Ma petite hirondelle*[65]… Aunque todavía no había llegado a mi vida, la dediqué más tarde a alguien…, alguien que debió compartir la emoción de esta noche pascuense, mi novia de París, Denis Lavigne, a quien espero que conozcáis algún día. La dedico a vosotros. Simbolizará la golondrina de mar, para que algún día mi *aku aku*[66] se reencarne en ella y me convierta en vuestro pequeño *ariki*[67] francés…

Su pastosa voz revolotea en la choza pascuense, entremezclándose con los maderos y la espadaña, con el humo que dibuja espirales en el fogón del *tunuake* abierto en el suelo.

---

[65] «Mi pequeña golondrina» en francés.

[66] Espíritus guardianes.

[67] Miembro de un alto rango hereditario principalmente o noble en Polinesia.

Asciende al Poike[68] y rebota en el *ahu* Te Peu, en las laderas del Pui y los acantilados de Orongo, para terminar desplomándose en el mar entre roqueríos y peces...

Las lágrimas enturbian los ojos de Silvana Rapahango, de Isabel Pakomio y Tiara Paoa. Absorta, esta última se ha arrodillado junto al cantante para escucharlo mejor. Alain la mira sin dejar de cantar, como si se la dedicase a ella, pero el rostro de Tiara se torna extraño. No son dos sino cuatro ojos los que resplandecen en esa cara redonda, un rostro que se ha partido en dos fragmentos, como la guitarra y cuanto lo rodea... Vagamente, muy distante, alcanza a percibir un grito, varios gritos confusos que emergen de la garganta de Draskic Ovac, de Tiara y de la espantada Isabel Pakomio...

---

[68] El volcán *Poike* es un volcán inactivo ubicado en la *isla de Pascua*, en su extremo este.

A mediados de julio de 2039, tres meses después de ingresar en la prisión de Hörningnäs, sus puertas se abrieron para dar paso a la libertad de Stig Tornval. Las excepcionales circunstancias derivadas de la pandemia, además de las acuciosas gestiones realizadas por su propia víctima y el abogado, se sumaron para que el juez decretara su excarcelación.

Era una diáfana mañana estival. Stig alcanzó a despedirse del guardián que tan bien le había tratado, Knud Burgenhammar, quien después de abrazarlo, comentó en voz baja:

—Dentro de poco ya no tendréis necesidad de nosotros. Sin embargo, no os envidio, y a lo mejor tu libertad no te servirá de mucho.

—Temo que tengas razón, Knud. Aquí te hallas alejado del mundo y, por tu edad, protegido de la muerte... Me refiero a la muerte nuestra. Me sobrevivirás, tenlo por seguro.

Al lado del pastor Jansson, Linn Borg parecía conmovida. ¿Cuánto tiempo había aguardado este momento? Lo abrazó en silencio. Más allá, dentro del coche, se encontraba Alwa Jansson.

—También ella ha querido darte la bienvenida —dijo el pastor. Alwa le tendió una mirada indescifrable.

—¡Muchos habrían deseado compartir con nosotros este momento, Stig! —saludó—. Me alegro de veras que esto haya concluido.

Stig ocupó un asiento trasero junto a Linn.

—Pienso que nadie debió sacarme tan pronto —dijo mirando al viejo Knud Burgenhammar en la puerta del recinto carcelario. Linn lo miró extrañada.

—Dios mío, ¿por qué dices eso? —preguntó.

—Nadie debió ocuparse tanto por mi libertad, Linn; eso es todo. Soy un asesino. O quise serlo. Pero ¿qué es ser libre?

—Ser libre no es escoger lo que uno quiere, sino saber escoger lo mejor para uno. En cualquier caso, Dios te ha perdonado. Y el juez … y yo también —argumentó Lars, poniendo el motor en marcha.

El automóvil avanzaba entre Resgved y Hagsätra, en dirección norte, cuando Alwa volvió la cabeza hacia atrás:

—¿No te alegras de ver Estocolmo de nuevo, Stig? Mira qué hermoso se aprecia en verano.

Stig la miró en silencio. Toda ella respiraba una despreocupación sensual que lo incomodó.

—Cuando ingresó a Hörningnäs —comentó, pensativo— estaba nevando, a pesar de que no era aún invierno.

El pastor propuso beber una copa y detuvo el automóvil en Mälarhöjden. La semana anterior, explicó, había descubierto un cautivante sitio en lo alto del nuevo edificio Nydda, a orillas del lago.

—¡Será un brindis de bienvenida y enhorabuena, Stig! —anunció mientras ocupaban una mesa. Estaban en una extensa terraza con multicolores sombrillas.

—Días atrás estuvimos aquí con Dag Forslund y otros amigos —comentó Linn.

Desnudos o en bañadores, hombres y mujeres bebían o picoteaban de varias fuentes de *smörgasbod*[69], envueltos por una música cargada de vitalidad. A la orilla del Mälaren en Solviksbadet[70], retozaba un polícromo enjambre de bañistas. Cada centímetro de esos cuerpos absorbía con avidez los rayos de sol que alcanzaban mezquinamente a broncearlos. Otros lo hacían en playas más distantes y generosas a lo largo de Grecia, España y Croacia.

—Tu departamento está en orden —le informó el pastor—. Ayer estuvimos con Linn y Alwa ocupándonos de él.

—Ya lo sé, Lars. Te lo agradezco. Stina, mi hermana, lo hizo la última vez que vino desde Arvika. Me dijo que dejaría contigo las llaves.

—¿Piensas quedarte aquí con este calor? —preguntó Alwa.

—No lo sé aún. Stina y Olof han insistido para que pase unos días con ellos.

—Dag Forslund te llamará de Borgholm —le enteró Linn.

Stig se volvió, extrañado.

—¿Se encuentra en Öland? —preguntó, animado ya por el vodka.

---

[69] Bocadillos de estilo sueco.

[70] Playa cercana a Estocolmo.

—Bueno, casi todo Estocolmo está fuera y media Suecia más allá de las fronteras —comentó Lars, paladeando su *akvavitt*—. Si la idea te entusiasma podrías acompañarnos un par de semanas en el Báltico. Disponemos de un pequeño pero confortable *sommarstuga*[71] con una esplendorosa vista. Podrás ocupar nuestra habitación de huéspedes.

—Agradezco tu ofrecimiento, Lars, pero creo que me marcharé unos días a Arvika. —Agotó el resto de la bebida y observó un helibús que avanzaba en el espacio. Tal vez iría a posarse en el helipuerto de Tegnergonden o, más al norte, en el de Värtahamnen.

Su mirada discurría, entre asombrada y distante, por la inmensa ciudad amada y odiada; el edificio Vakjam, la antigua pero aún altiva torre de Käknas, y enfrentando al Djurgårdsbrunnsviken, la imponente mole, aún no terminada, del Kosmopolit. Al bajar, vieron la imagen holográfica de Stig que se proyectaba desde una gran pantalla a la vera de la carretera. Junto a los guarismos de la pandemia se informaba de su inminente libertad. El pastor se detuvo y todos comenzaron a leerlo: una crónica benévola, con encomiables adjetivos hacia el comportamiento de Stig durante la reclusión y los esfuerzos legales de su víctima por abreviar su permanencia.

—Todo eso me asquea —comentó Stig—. Durante todo el tiempo que estuve allí, rehusé conceder entrevistas. Con mayor razón para perderme un tiempo en Arvika.

Los medios informativos de Suecia dieron a conocer el sobreseimiento de Stig Tornval cuando este se encontraba en su pueblo natal. Entristecida por su ausencia y sin querer ingerir antidepresivos instantáneos, ya que le parecía

---

[71] Casa veraniega.

hacer trampa a su íntimo duelo personal, Linn abandonó Estocolmo. Pasaría unas semanas junto al río Nissan, donde vivía su hermano con su mujer y sus hijos.

Una vez en Arvika, Stig sostuvo una conversación telefónica con Dag Forslund, que aún permanecía en la isla de Öland. La sorpresa y la emoción afloraron a las facciones del director del Dramatiska.

—¡Linn me llamó para informarme que estabas fuera! —exclamó—. ¡Estoy muy contento, Stig! ¿Has podido eludir a los cazadores de noticias?

—No durará mucho. Ya me agarrarán cuando regrese.

—¿Cuándo? El Dramatiska te necesita, Stig. Lo sabes. Reabriremos la temporada con la pieza anterior, pero quiero que leas el libreto de *Vuelve a Kiruna*.

—Sí, claro, pero la verdad, Dag... —vaciló confusamente— es que no tengo todavía claro lo que haré, fuera de que me dejen tranquilo por un tiempo.

—Comprendo, Stig. Aquí en Borgholm ha caído mi cuñado, Tage Kjellander. Es penoso y desalentador. En fin, ya hablaremos; regresaré dentro de diez días.

Solo o acompañado de sus sobrinos, Bror y Silvie, y otras veces con el pastor Borje Nyström con quien solía especular acerca del destino humano, Stig pareció recapturar en las apacibles calles de Arvika un solaz penosamente anhelado. Solía contemplar su rostro en el espejo azul, azul como la muerte, de Clara Elf, el lago de su infancia, una infancia que parecía pulverizada en la urdimbre de los siglos. En ocasiones creía descubrir la desvaída sombra de Gunnar Hpertonsson, su primer amante, que ahora vivía fuera de Suecia. ¿Había sido atrapado por la peste? A esa imagen y a otras se superponían unas facciones odiadas y amadas que aún no le era posible arrancar de sí. ¿Es que estaba condenado a no librarse de la martirizante obsesión de Lars Jansson? Volvió a escuchar sus palabras antes y después de abandonar su celda, instándole a someterse al tratamiento del profesor Moberg. Stig había oído hablar de ese lugar, un avanzado y prestigioso centro técnico, pero jamás cruzó por su cabeza la idea de que pudiera ser uno de sus desventurados pacientes. La idea le repugnaba y el pastor había abandonado sus esperanzas de convencerle después de escuchar sus palabras de resistencia o de enojo frente a esta proposición humillante. ¿Por qué lo hacía? ¿Deseaba estar en paz con su conciencia? Esa idea aparecía simplemente monstruosa para Stig. Le costaba imaginarse amando sin tanta e irracional pasión. ¿Por qué avasallar entonces aquello que constituía la esencia de su vida? No era a una clínica de neuropsicología donde debía ir, sino a una de reacondicionamiento emocional, algo o alguien que arrancara de su sangre y de sus pensamientos esta mixta obsesión erótica y anímica hacia Lars. Este había encontrado su cielo y su autenticidad junto a esa rubia platinada a quien Stig deseaba aplastar con sus manos, pero debió repetirse que no era solamente Alwa la que pudo arrebatárselo, y acaso a quien tenía que culpar finalmente era a la maldita epidemia.

Una mañana, no había aún amanecido, despertó cargado de angustia. Durante la noche había sentido la piel del pastor adherida a la suya, y el placer que experimentó en esa orgía nocturna quedó espesándose en su sangre. En ese sueño, Lars volvía a amarlo y repudiaba a Alwa, que lloraba junto al Mälaren, y ambos se mofaban de ella, alborozados. (*He ahí mi venganza, maldita: he vuelto a recuperar a tu pastor. ¡Ahora puedes buscarte otro! Lo encontrarás en alguna playa de Valencia o de Split donde podrás enceguecer a algún bronceado superviviente latino…*).

En una cercana habitación dormían Stina y Olof Rylander, y más allá, Silvie y Bror, ajenos a su desvarío. Sintió impulsos de salir a través de la noche y alcanzar hasta el lago y sumergirse para siempre... (*Lars, Lars, ¡sálvame! ¡Eres tú mi único dios! ¿Es posible que me hayas dejado por esa desvergonzada? ¡Vuelve a mí, maldito Lars, vuelve! ¡Haría cualquier cosa para que retornes a mi lado, por humillante que sea!*).

En el resto de aquel día debió pretextar una desazón física para justificar su inapetencia. Al atardecer se echó a caminar por extrañas callejuelas, metiéndose en una taberna tras otra, compartiendo una copa de *akvavitt* o de cerveza con campesinos que no podían reconocerlo, oyendo sus risotadas y sus preocupaciones provincianas, refiriéndose a la peste con un desdén cargado de soberbia. Al regresar a casa, Stina y Olof lo miraron extrañados. Stig rehusó comer y se dirigió al dormitorio. Los Rylander sentíanse desconcertados e impotentes para ayudarlo, y hasta el pastor Börje Nyström, que compartía la mesa, lo observó preocupado.

—¿No te sientes bien? —le preguntó al día siguiente.

—Se me pasará, Börje; creo que solo es un malestar gástrico.

Comió un plato de guisantes mientras el pastor y los demás saboreaban trozos de *surströmming*[72].

—Me alegré mucho al saber que pasarías unos días en Arvika y que trajiste contigo la Biblia —opinó Börje Nyström.

—A veces abro una que otra página —gruñó Stig.

—Te reconfortará.

El actor vació el resto de su bebida, los pensamientos detenidos en una sombra lejana. (*Lars, Lars, maldito Lars*).

---

[72] Arenque del mar Báltico fermentado. Desprende un olor fétido muy fuerte.

La nostalgia circulaba obsesivamente por sus repliegues cerebrales. Silvie y Bror contemplaban un partido de tenis. ¿Era posible que todo se desenvolviera como si nada acaeciera en el mundo? Una pregunta semejante le había formulado a Vilhem Grahn, el astro futbolístico, cuando este fuera a visitarlo a la prisión de Hörningnäs, pocos días antes de abandonarla. Él y su mujer, Diana, se limitaron a sonreír.

La mirada de Stig se posó en Bror Rylander. Tenía catorce años; dentro de tres, podía caer fulminado, como miles de otras ratas azules a través de la tierra. ¿Es que no pensaba en eso? El ir y venir de la pelota parecía ser lo único importante en su vida. Sintió deseos de increparlo. O de volar. Dar un salto hacia esa guarida donde el pastor arrancaba del cuerpo de la intrusa todos los placeres de la traición. ¿En qué maldito *sommarstuga* se encontraba disfrutando de ese cielo que lo había salvado? ¡Y tuvo aun la impertinencia de sugerir compartirlo! Podría, a través de las paredes, escuchar la sinfonía erótica construida con su sensualidad en el cuerpo de la usurpadora… Juntos, ambos, la platinada y el monje, buen título para una obra del Dramatiska…

De pronto, aquella noche, sintió algo extraño, como un hilo de luz y de plata serpenteando entre los riscos, una luz extraña y nueva. ¡Dios! ¿Cómo no lo había pensado antes? ¿Por qué no aceptar el ofrecimiento? ¿Por qué no ingresar a las fauces técnicas y sabias del Dr. Andreas Moberg? ¿No sería ese un buen salvavidas para arrancar, por fin, este cáncer obsesivo, extirpar quirúrgicamente la amada y odiada figura que corroía su existencia? El razonamiento parecía simple. (*Si acepto ingresar en él, saldré en el mismo estado o en otro, y de ocurrir este último prodigio, del cual Stig aún desconfiaba,*

¿no significaría el desmoronamiento de esa malsana obsesión que iba envenenándolo? Dejaría entonces de sufrir. ¡Sería una cosa tan buena como la muerte! ¡El olvido, por fin, la gran cirugía del alivio!).

Parecía transfigurado por esta inspiración, como cuando en el Dramatiska levantaba polvaredas de oro y fuego ante los espectadores. ¿Había llegado la hora de la libertad o era solamente una utopía generada por el insomnio? (*Lars, maldito Lars... ¡me has dado la solución para arrancarte de mí como un coágulo que asfixia, como una telaraña metida entre los pulmones, que ahoga, impide respirar y mata!).*

No parecía para Janet tarea sencilla la de convencer a Sidchalean de que un alejamiento temporal de su trabajo de *bargirl* en el Mocambo no significaría que no pudiera volver a él al cabo de una o más semanas. Barry Fletcher —trataba de explicarle— se encargaría de arreglarlo todo con el *manager* del establecimiento, para permitir a la tailandesa quedar liberada de su trabajo durante la permanencia del cantante en Hong Kong.

—Ya sabes que le gustas —insistía Janet—, y supongo que serás amable con él. ¡Cientos de miles de mujeres estarían envidiándote!

Sidchalean tiene deseos de decir muchas cosas, una tras otra. ¿Por qué Janet la cede tan fácilmente a un hombre? «¿Qué significó para ella? —se pregunta—. Me ha contado que se acostó con Barry, que ha gemido de placer como cuando está conmigo. ¿Qué nombre puedo dar a esta confusión que hay dentro de mí? Prefiero haber muerto en lugar de Sanya o haber nacido hombre».

Sidchalean termina dejándose arrastrar por las palabras de Janet, pero se obstina en imponer una condición que hace sonreír a su amiga inglesa: no deberá separarse de su lado en sus encuentros con Barry, ya sea cuando incursionen por los sitios turísticos o cuando la intimidad amenace dejarla librada a los impulsos del cantante.

—No te atormentes, querida —la tranquiliza—; no te dejaré sola. Barry se encargó también de arreglar para mí una ausencia de dos semanas en el hospital.

En las horas siguientes incursionan por diversos barrios de la ciudad. Los ojos de Sidchalean descienden púdicamente cada vez que el artista los busca o cuando siente sus manos aprisionadas por las de él. Janet se aparta celestinamente de estas efusividades para dejar que el idilio o la pasión hagan su juego adecuado. En el fondo de sí gravita una malsana curiosidad erótica: a ella también le gustaría ver a ambos confundidos en una vorágine amorosa, pero no se atreve a manifestarlo. Por sus arterias inglesas crepitan brasas de una voluptuosidad insaciable, perfeccionada a través de sus aventuras, antes y después de la pandemia.

Acompañadas por Helvi Kylliäinen, la nueva amiga de Vincent Mac Lain, asisten a la nueva actuación de Barry en el Mandarin Room del Miramar, en la agitada Nathan Road, e igualmente presenciarán la única actuación que hará en Macao.

Janet y Sidchalean habían postergado su deseo de conocer esa posesión portuguesa y se alegraron de poder hacerlo en estas circunstancias. Tanto a ellas como a Helvi les costará olvidar esa breve travesía en el moderno ferri —un veloz *hovercraft*[73] de franjas rojas y blancas— que, cual gigantesco cisne parecía levitar, avanza, ondulante, mecido en la plataforma de aire que se desliza sobre las encrespadas aguas del mar de China, cubriendo los sesenta kilómetros que separan a ambas ciudades.

---

[73] Aerodeslizador, también designado con el término inglés *hovercraft*.

Nada más llegar al puerto fueron identificados facial-
mente por parte de las numerosas cámaras que se encontraban por doquier. Los pasaportes y las documentaciones
propias de cada ciudadano habían pasado a la historia hacía
ya un par de décadas.

Ceñida la cabeza con un pañuelo, Janet contempla
cómo los brazos de Barry, los mismos que noches antes
aprisionaban su cuerpo, rodean el talle de Sidchalean, al paso
que la larga nariz del agente teatral se inclina sensualmente
sobre el cuello de su finlandesa; el pensamiento de aquel
escapando, culpable, hacia California.

—Paul tuvo que viajar previamente con los muchachos
de la orquesta —informa Vincent, ante una pregunta de Helvi—.
Nos espera en Macao.

Una sutil, casi ingrávida malla de espuma que el veloz
ferri genera en su vuelo sobre las olas, salpica la cara de Barry
y Sidchalean, y alegres chillidos escapan de la garganta de
esta.

Cual áurea rosa de los vientos con sus ocho ejes a
horcajadas en las verticales franjas roja y verde, la bandera
portuguesa flamea en lo alto de un viejo mástil que se levanta
junto al muelle circular de Macao.

—Parece que la peste tampoco respeta Macao —
observa Barry—. Se ven más mujeres que hombres. ¿No es
Paul el que está allí? —agrega, señalando a un joven rubio.

—¡Por supuesto que lo es! —confirma Vincent.

Algunos minutos más tarde, luego que Paul explica que
los demás compañeros de la orquesta decidieron incursionar
por las afueras de Macao, presenta a su nueva amiga, Belkiss
Jóla, una portuguesa de cabellos oscuros.

—Está ansiosa de conocerte, Barry —dice luego de presentarla—. ¡Se empeñó en comprobar que eras tú mismo en carne y hueso!

—¡Creí que era una fantasía de Paul para conquistarme! —comenta Belkiss, en un inglés tan pintoresco como el de la tailandesa.

No tardan los siete en acomodarse en el automóvil de Belkiss, un antiguo Yan de propulsión a gasolina, apretujándose en los asientos, luego de disponer las valijas en la baca del vehículo.

—He reservado habitaciones para todos en el Vila Taiyip —explica Paul, mientras su amiga pone en marcha el bullicioso coche—. Belkiss tiene allí una tienda de comida orgánica asiática. No hice más que descubrirla y me lancé en picado a comprar un par de condimentados platos de Macao.

—¡Me obligó a cerrarla, sabéis! —apunta la aludida—, para que así pudiera dedicarle todas mis horas.

Janet le explica que ellas también, a excepción de Helvi, se doblegaron ante una petición análoga de Barry.

Construido hace una década, en el mismo lugar del viejo hotel del mismo nombre, el Vila Taiyip conserva el añejo encanto de otrora, como el Riviera o la Posada de Macau. Mientras el cantante se acomoda, solo, en su exóticamente decorada habitación, Vincent y Paul lo hacen con sus respectivas compañeras. Janet y la tailandesa se despabilan en la suya, vecina a la del cantante. El saberla a pocos pasos de él, se le antoja a Barry más accesible a su impaciencia, y confía en la complicidad de Janet para conducirla finalmente a sus brazos.

Minutos más tarde, el coche de Belkiss vuelve a ser ocupado por sus nuevos amigos. Es una calurosa mañana de octubre. Sorteando vehículos y grupos humanos, como en plácidas épocas, el vetusto Yan cruza por Praia Grande, en cuyas arenas se recuestan bañistas desnudos: vientres y torsos túrgidos o laxos por los años, tostándose al sol, ante la mirada indiferente o libidinosa de los visitantes.

Chillidos de pánico o de animación surgen desde las gargantas cada vez que el coche trepa por las empinadas callejuelas de Macao, que a los norteamericanos les recuerda a las de San Francisco. Chatas o modernas construcciones van surgiendo cerca o lejos de la costa, mientras la pintoresca voz de Belkiss va describiendo los lugares por los que atraviesan: Leppa, Patane, Monga, Colovahe y otros. El calor se torna cada vez más intenso, orquestando por el zumbido de los mosquitos que obligan a los ocupantes del coche a darse de palmadas para ahuyentarlos.

—En verano constituyen un tormento para los visitantes —dice Belkiss—. Hasta la década pasada, las autoridades sanitarias lograron dominarlos, pero reaparecieron inclemes y cáusticos debido al imparable calentamiento global.

Bordeando la ondulante costa o internándose por sinuosos senderos, incursionan por exóticos lugares de la península, mientras Paul Mills eterniza estas escenas con uno de sus drones que persigue al vehículo a pocos metros ante el templo de Ma Kok Miu[74]; más tarde, teniendo de fondo la tradicional casa de Sun Yat-Sen, y de regreso, la cerería de Junk, el Senado Leal y, finalmente, la Gruta de Camoens adosada a la iglesia de San Antonio, en cuyos jardines escribiera el poeta sus *Lusiadas*[75].

---

[74] Uno de los *templos más* antiguos de Macao. Se construyó en 1488 y conmemora a A-*Ma*, la diosa del mar.

[75] *Los lusiadas* es una epopeya, obra maestra portuguesa en verso escrita por Luís de Camões.

—Algún día, en una película —reflexiona Paul—, nuestras viudas o nuestros hijos contemplarán estos documentales de Macao donde habrá apenas cuatro sobrevivientes, vosotras, las únicas —agrega mirando a sus acompañantes.

—¿Por qué hablas así, Paul? —inquiere Belkiss Jóla.

—Temo que le hace falta beber algo —comenta Barry.

Más tarde, en el bullicioso Solmar, siete copas cristalinas entrechocan su fraternal brindis, llena cada una de transparente licor de caña que todos, ante una sugerencia de Belkiss, se han empeñado en tomar; pero Sidchalean y Helvi hacen un cómico gesto de desagrado al beberlo.

—¡Es como fuego! —articula la finlandesa.

—Si os quedarais en Macao, terminaríais adoptando la cachaza[76] como vuestra bebida predilecta —dice Belkiss.

—¿Por qué no, querida? —el pianista la acaricia torpemente—. Este maldito mundo es demasiado pequeño y grande a la vez. ¡Quizás volvamos a juntarnos aquí o en otro lugar!

—¿Frecuentas este sitio? —pregunta Janet.

—A veces. La vida en Macao no es entretenida, al menos de un tiempo a esta parte… ¿Deseáis que os lleve a conocer otros lugares? —Y al oír la aprobación de los demás, dice—: Bueno, entonces os llevaré al Macao Palace, porque Paul me ha dicho que sois aficionados al juego.

—Bien, hagamos la prueba —anima Barry—. ¡Te seguiremos adonde nos lleves!

---

[76] Bebida alcohólica de origen brasileño obtenida a partir de la fermentación de la caña de azúcar.

Terminado de construir en 2035, el hospital Horanúi[77] exhibe su atractiva fachada polinésica en la planicie que separa a Motu Tavare y Hanga Omohi, frente a Vaimatá, al noreste de la isla. En una sala del segundo piso, desde cuyos ventanales se otea la inmensidad del Pacífico, las horas de Alain Grenier se balancean entre la vida y la muerte, en un extremo de aquella sala en la que se encuentran otros cinco apestados, un turista de la antigua Grecia —ahora turca— y cuatro nativos.

En algunos hospitales la muerte ha llegado a ser opcional, particularmente entre pacientes terminales con muchos ceros en sus cuentas bancarias que han preferido mudar su consciencia a matrices de carbono neurodinámicas de última generación. Sin embargo, la técnica de invertir el proceso todavía se encuentra en pañales. Encontrar cuerpos donde implantar la consciencia apenas es un problema dada la cantidad de hombres jóvenes que creen encontrar en el suicidio la única salida a la peste azul, pero el problema sigue siendo devolver la susodicha consciencia a un cerebro de un cuerpo inanimado. En cualquier caso, esta terapia no se puede ofrecer como disponible por razones económicas y técnicas para todo el mundo, menos aún en estas latitudes. El encuentro con la muerte depende para muchos del grueso de su cuenta bancaria.

---

[77] «Septiembre» en idioma nativo.

Carolina Tepano, la doctora que atiende a Alain, ha estampado en su ficha clínica: «Paciente nacionalidad francesa, 27 años; ingresa en la madrugada del 26 de abril con síntomas de peste azul en su forma subaguda». Juli Pakarati, auxiliar de enfermería, vigila con rutinaria desenvoltura el goteo del suero con L-SX-921-D en las venas. Después se aparta para observar la evolución de los otros enfermos.

Desorientado y temeroso, Damián ha informado de sus relaciones con el solitario paciente.

—Viajamos juntos desde Juan Fernández —explica a la doctora Tepano, una joven de típicos rasgos isleños—. Íbamos a seguir a Tahití y Australia.

—¿No tiene parientes?

—Su novia y su madre viven en Francia. No es mucho lo que sé de su vida. Nos conocimos hace poco más de un mes.

Acompañado de Marco Pakomio y su hija Isabel, Timoteo Paoa informa que rehusó volver a su patria, como se lo propusieran.

—Desea morir en la isla —agrega, mientras su mujer y su hija se esfuerzan por ocultar el llanto, en la mano de una y en el cuello de la otra esplendiendo trágicamente las esmeraldas que les obsequiara Alain.

—De todos modos —comenta la doctora Tepano—, por tratarse de un extranjero, estimo que debe informarse a alguien, al consulado o legación de su país.

—En Rapa Nui no existe ni lo uno ni lo otro —le informa Marco Pakomio—. Los consulados más próximos se encuentran en Valparaíso y Papeete.

—En la isla hay un ciudadano francés que podría ocuparse de eso —recuerda Timoteo, y volviéndose a Marco dice—: ¡Jacques Théberge!

—Sí, tienes razón. Tal vez pueda ayudarnos.

Dos horas más tarde, un hombre alto, de barba rojiza, detiene su *jeep* en la puerta del hospital, apeándose casi al mismo tiempo que los ocupantes del vehículo: Marco Pakomio, que ha ido en su busca, Fernando Araki y Anastasio Paté con sus respectivas mujeres, y finalmente, Alejo Rapahango y la pareja serbia. De ojos claros, el rostro cruzado por fuertes arrugas, Jacques Théberge representa más que sus 67 años. Tiene una voz tabacal, que expresa su inquietud en un español con inflexiones europeas.

—Está tranquilo —informa Damián ante el alud de preguntas que emergen de unos y otros—, pero sabe que no tiene esperanzas.

Damián conduce al francés al segundo piso. Alain contempla la duplicada figura del visitante que se aproxima. Lo ve sentarse al borde la cama, dos cabezas canosas, cuatro ojos escrutadores.

—Me llamo Jacques Théberge —lo oye decir en su idioma—, ¿puedo ayudarte en algo?

Alain lo contempla con expresión de vacuidad.

—No —articula—, te agradezco…, sin embargo, que hayas venido…

—¿No deseas regresar a Francia? —Y al ver que mueve la cabeza, oponiéndose, añade con voz cautelosa—: ¿Tampoco deseas que alguien de allí venga a verte?

—Tampoco… Me basta… con mi amigo —señala la duplicada figura de Damián—. A él… lo instruiré de todo. —Mira a su compatriota en medio de un penoso silencio y pregunta, con voz cansada—: ¿Vives… en esta isla?

—Dejé Francia hace doce años cuando ocurrieron las sangrientas revueltas entre chechenos y magrebíes que acabó con la secesión de la mitad sur del país un par de años antes de la anunciada disgregación de la Unión Europea. Nunca he creído en que la religión debería estar involucrada con el Estado, pero las normas islamistas hicieron el ambiente irrespirable; así que me enrolé en La Rochelle como pañolero en un barco de guerra de la Confederación Europea Franco-germana (CEFG), último bastión de lo que podía seguir llamándose Europa, y me establecí en Tahití, que terminé abandonando a causa de una mujer. Después aparecí en esta isla, donde seguramente moriré.

—No será... a causa de la peste.

—Qué más da. Morir de una cosa u otra. Claro que cualquier muerte resulta absurda a tu edad. Bueno, toda la vida lo es, con o sin peste.

Damián abandona la sala. Descubre a Silvana Rapahango, con su ya dilatado vientre, apoyada en la no menos contrita María Atan, mientras los hombres conversan en los pasillos. La doctora Tepano se acerca y dice:

—Es una de las formas más graves de presentación de la peste. Temo que no durará mucho.

—¿Hay algo que podamos hacer? —inquiere Draskic Ovac, con los ojos congestionados por el llanto—. Mi marido y yo partimos mañana a Serbia. Podríamos detenernos en París, si fuera necesario.

La doctora Tepano se encoge de hombros. Ese asunto, dice, depende del ánimo del paciente, mientras lo tenga, y aconseja que las decisiones se tomen cuanto antes, pues existe el peligro de que pierda la lucidez o entre en un coma irreversible.

—Un compatriota suyo está tratando de aclarar esto —informa Marco Pakomio.

Cuando, tras una larga media hora, aquel abandona la sala, lo rodean con ansiedad. Jacques Théberge mueve la cabeza con expresión sombría.

—Está empeñado en morir aquí.

—¿Nos permitirá que lo veamos? —pregunta Lidia Paoa, y sin esperar respuesta avanza en dirección a la sala, seguida por los demás.

Una vaga sonrisa flota en las facciones de Alain al ver a esos amigos con quienes compartiera las animadas horas de la víspera. Fernando Araki es el primero en llegar a su lado. Sostiene un moái *kava kava*[78], que extiende al moribundo:

—Un recuerdo de Rapa Nui, Alain. Está hecho en madera de toromiro, la más autóctona de la isla.

Alain contempla el *kava kava* con el mismo detenimiento de un comprador mientras examina la mercancía.

—Gracias, Fernando… me acompañará adonde vaya…

—¡Tu espíritu estará siempre con nosotros, como ese *kava kava*! —susurra María Atan—. ¡Rezaremos por ti! También Tiara te trae un recuerdo —agrega, la voz apagada.

Construida en arcilla, como la original, una golondrina, réplica de la que se encuentra en el Rano Aroi[79], algo más pequeña que la que admirara en casa de los Paoa, surge del bolso de Tiara. Sus manos y su voz tiemblan al depositarla sobre la cama.

—¡Ya sabes lo que significa!, ¿verdad? ¡Es Make-Make, nuestro dios! ¡A él rogaremos para que te mejores…, para que te ayude! —rectifica.

---

[78] Moái que representa un cuerpo desencarnado, las costillas visibles, simbolizando el espíritu del difunto.

[79] Pequeño cráter con una laguna interior cubierta de juncos de totora, que es la tercera reserva de agua dulce de la isla.

La joven pascuense se proyecta, duplicada, en las retinas de Alain: dos Tiara, dos golondrinas, dos moáis *kava kava* y más atrás, dos sollozantes Isabel Pakomio, dos grávidas Silvanan Rapahango, un amigo o una amiga más que se suman espectralmente a los que fueron y dejarán de serlo.

—No llores, Tiara… Tal vez… si hubiese vivido más… habría compuesto una canción… para ti: «Tiara… la pequeña diosa de Rapa Nui». Quizás… pueda componerla en otra parte…, cerca de vuestro Make-Make…

Al día siguiente, no bien Damián aparece en la sala, Alain le confía, la voz apenas audible:

—He estado pensando… en lo que dijo… Théberge… He decidido algo… que espero cumplas… —La diplopía parece enceguecerlo—. Quiero que hagas… lo que hiciste con tu padre…

Damián lo mira desconcertado.

—¿Por qué me pides eso?

—Quiero oír tu promesa…

—¿Por qué tiene que ser así, Alain? ¡Quizás… algún día Denise… quiera verte!

—No podría… soportarlo… Prefiero que me recuerde como la última vez que me vio… Debemos mantener… cierta dignidad y pudor… en el recuerdo de otros… —La voz se torna tan baja que Damián tiene que inclinarse para oírla—. No podría pedirlo… a nadie más que a ti… Prométemelo…

—¡No lo sé! ¡Tal vez tenga que hacerlo…, si insistes! Mi padre también me lo hizo prometer. —Un trazo de sangre se escurre por un oído de Alain. Damián la restaña con un pañuelo.

—Quiero..., además, que continúes ese viaje... que planeamos juntos... —prosigue.

—¿Qué puedo hacer ahora solo, sin ti? —la voz de Damián está sofocada. En esos momentos es un niño desvalido, incapaz de pensar. Al morir su padre parecía menos atormentado que en estos instantes—. No sé... ¡no tendré ilusión de ir a ninguna parte no estando tú! —Se detiene, asustado de sus propias palabras: «No estando tú». Es como si hubiese dicho: «Después que mueras». No ha alcanzado a pronunciar esa frase, pero equivale a ella, y Alain no necesita que se lo explique para comprenderlo.

—Después que... me arrojéis al mar, continuarás ese viaje..., como lo planeamos. No te faltará dinero...; he decidido darte el mío... ¡ya no me servirá! —Señala su chaqueta—. Acércamela...; necesito firmar... unos documentos...

El desconcierto y la angustia amordazan la garganta de Damián. Tiene la impresión de que no podrá resistir esta prueba y, aterrado, ve cómo Alain aparta papeles empuñando luego un lápiz que se le resbala de los dedos. Siente impulsos de llorar y detener esa mano moribunda que está enriqueciéndolo y decirle que todo es inútil, que dentro de poco será lo mismo, porque agonizarán su mano y su sangre cuando su piel se encuentre también teñida de azul.

—Esto te pertenece —prosigue Alain, señalando los documentos—. Podrás... cobrarlos en cualquier país... 1 748 000 dólares... Puedes también obsequiar... a los Paoa..., todos habéis sido buenos... —Un llanto ingobernable impide a Damián articular una palabra, su mano asida a la de su amigo—. Me lloras... como a un hermano...; ya lo fuimos. Me alegro de que seas tú y no un extraño quien me acompañe en... mis últimas horas. Aproxímate a Tiara... De no existir Denise... y si dispusiera de vida..., tal vez terminaría amándola, pero tú la tienes aún y estás solo...

Sofocada por la disnea, la voz se torna cada vez más imperceptible. Damián retira uno de los apósitos ensangrentados. Siente impulsos de llamar a la doctora Tepano, pero al abandonar la habitación se encuentra con Juli Pakarati, quien entra en la habitación y desprende la aguja insertada en la vena del brazo, cuyo receptáculo, que contenía el ya inútil L-SX-921-D, pende vacío y burlesco.

—¿No prefieres salir? —pregunta, mirando a Damián con una frialdad compasiva.

—¡No!, quiero estar a su lado.

—Tengo sed —La voz de Alain parece un pequeño delirio.

Juli Pakarati se acerca con una jarra que Damián le arrebata.

—Deja; se la daré yo.

—Bueno, puedes hacerlo… —Y se queda unos instantes antes de desaparecer.

Mientras bebe el líquido a pequeños sorbos, las aletas de la nariz de Alain se expanden como diminutas branquias. La piel de su cara ha adquirido una tonalidad violácea.

—Si resuelves proseguir el viaje… más allá de Australia, quiero que llegues… donde Denise… Anoche escribí… esta carta para ella… y otra para nuestro abogado… Le pido… que te entregue el resto de mis bienes…

—¡Yo no necesito dinero!

—Cuando veas a Denise… pon en sus manos ese moái y la golondrina… El dios de Tiara… ya no podrá salvarme…

Nuevas náuseas lo estremecen, inclinado hacia el receptáculo que Damián le ayuda a sostener. El oro viejo de su pelo, como su frente, se hallan húmedos de transpiración, y esta no tarda en escurrirse por sus mejillas. Juli Pakarati acude de nuevo e inyecta algo acompañada de una elocuente expresión desesperanzada en sus facciones nativas. Después, cuando se aleja, el isleño acomoda la cabeza de Alain, cuyos ojos lo miran con una expresión remota, los párpados cubriéndolos en un compasivo sueño, como aquel de hacía tan solo cuatro días atrás en Vinapu…

Convertida en improvisada cicerone, Tiara conduce el escúter del Akahanga al este del Rano Kau. Junto a un volcado moái que ha escapado de allí a la humillación de besar el suelo, sobre un *ahu* de sorprendente magnificencia, que a Alain le hacen recordar las piedras de Machu Picchu y los muros de Sacsayhuamán[80], y sobre el cual yacen cuatro o cinco sepulturas más, derrotadas por el tiempo, con sus cabezas hundidas en la tierra, de espaldas al océano. Alain permanece mudo, borracho de emociones al ver tanta magnificiencia. Incluso olvida inmortalizar el momento con alguna de sus cámaras.

Salvo unos pocos moáis a lo largo de la costa, explica Tiara, los únicos que están de pie son los siete del *ahu* Akivi, los de Tahai y, ciertamente, los del Rano Raraku, pero a ellos se agregaron los que el cataclismo del 2028 devolvió a la superficie.

—He conocido muchas guías de viaje, pero tú tienes una destreza no contaminada aún por el profesionalismo —comenta Alain, señalando luego a lo alto del *ahu*—. A ver, ¡voy a eternizaros ahí arriba! —Y enfoca su *blacklight*[81] al monumento funerario. Improvisados actores, Tiara y Damián obedecen, dominados por la risa—. ¡Espléndido! ¡Bravo! —Las palabras de Alain van animándolos.

---

[80] Sacsayhuamán es una fortaleza ceremonial inca ubicada dos kilómetros al norte de la ciudad de Cusco.

[81] Aparato que graba en 360° toda una escena acompañada de sonidos y que permite durante su reproducción pasear virtualmente entre los elementos de la misma como si fuese real.

Al igual que las imágenes, las voces y las risas quedarán perpetuadas en el tiempo. También lo estará esa otra grabación en que ambos se apoyan en un monolito de piedra del único moái femenino que, según dice Tiara, indicaba a sus antepasados el transcurso de las horas conforme a la extensión de su sombra.

—Después de la erupción del Rano Aroi —prosigue— se hallaron otros dos moáis femeninos, uno de los cuales veremos en el lugar del cataclismo. El otro fue colocado en un *ahu* de Hnga Tuú Hata.

Un helibús hiende el espacio en dirección a Mataveri, sobre el índigo del cielo otoñal. Todo parece discurrir con una fuerza inmaculada, y esa impresión parece acentuarse cuando observan cómo Tiara extrae las vituallas que su madre ha preparado.

—¡Tengo un apetito terrible! —exclama Alain, engullendo un huevo duro—. Debe ser por el aire marino. O la felicidad. Ambos dan apetito. Una vez, estando en la nieve, en Val d'Isère[82], despaché cuatro latas de *goulash*[83]. Denise me miraba incrédula.

—¿Y cómo haces para no engordar? —interroga Tiara—. ¡Es fantástico!

—¡Es un secreto que me llevaré a la tumba! ¡Comer mucho y permanecer delgado! Mi padre también era esbelto, a pesar de ser un buen *gourmet*. ¡Salud!

—¡*Manuía*!

—¿Sabes? Siento como si fueras la mujer de uno de nosotros; o, si te suena mejor, una hermana… ¡una bella hermana pascuense!

---

[82] Pueblo francés con estación de esquí situada en el departamento de Saboya.

[83] Plato especiado, elaborado principalmente con carne, cebollas, pimiento y pimentón, originario de Hungría.

—Lo soy, Alain, ¡lo soy para ti y para Damián! ¡Espero serlo siempre, aunque nos encontremos lejos!

Después, amodorrado, trepa a lo alto del *ahu* y se recuesta sobre uno de los ídolos volcados, anunciando:

—¡No todos pueden tener el privilegio de echar una siesta sobre un moái! ¿Verdad? Es una cama un poco dura, pero trataré de contagiarme con su eternidad. ¡A lo mejor consigo ser inmortal como este *ariki*, porque supongo que lo era!

Acomoda su cabeza sobre la funda de la grabadora mientras Tiara y Damián no tardan en oír sus ronquidos, tendido cuan largo es sobre la milenaria escultura cuyas dimensiones triplican la de su huésped. Media hora más tarde, lo ven incorporarse. Mira en derredor con aire asustado, pero al ver a Tiara y a Damián se tranquiliza.

—¡Has dormido casi una hora! —le dice el joven.

—¡Ha sido una de las mejores siestas de mi vida! Estaba soñando, ¿sabes? Cabalgábamos juntos por los aires, cada uno en un moái. Cruzamos toda Oceanía, pero de pronto tu moái se separó del mío y comenzó a criar plumas en la base del cuello... —Se detiene al ver al grupo de turistas que avanza a cierta distancia. Uno de ellos, alto y rubio, levanta la mano, reconociéndolos—. Es Yigal Amu —dice Alain—. ¡Y no está solo! Mirad, ¡a su lado está nada menos que Vilma Hgy, la camarera del hotel! Me pregunto cómo ha podido su madre dejarlo solo. Es un huésped del Akahanga —explica, volviéndose a Tiara—. Está enamorado de Vilma, supongo que la conoces.

—En la isla nos conocemos todos; es la hija de Nicolás Hgy, que trabaja en el aeropuerto de Mataveri.

—Yo creo que debemos marcharnos —dice Alain, introduciendo el trípode en su funda—. A ver, Tiara, ¿cuál es nuestro próximo destino turístico?

—¡Todavía hay muchos pendientes! Anakena, el Rano Kau y Orongo… Podríamos ir pasado mañana a uno de ellos; nos pondremos de acuerdo una vez que tenga la seguridad de que mi padre no me necesitará en la caleta.

En la habitación del hospital, los párpados de Alain vuelven a abrirse, como cuando despertara de su lecho de piedra de Vinapú[84]. Sus tumefactas cuerdas vocales consiguen enhebrar algunas frases:

—He dormido… Creo… que me siento mejor... Volví a soñar, pero era todo confuso… Dame un cigarrillo, tal vez sea el último… ¿No ha venido Tiara?

—Prometió venir más tarde. Anoche me llamaron todos al hotel, los Paoa, los Pakomio, los Araki, Anastasio Paté. ¡Están preocupados por ti! Draskic Ovac y su marido viajan esta tarde; desean despedirse…

Dos sierpes encarnadas emanando del oído izquierdo retoman la sedosa y pálida ruta de la mejilla de Alain. El isleño se apresura a detenerlas.

—Gracias, Damián… Me siento mejor, pero sé que no significa mucho. Sigo viéndote doble…, dos amigos, dos hermanos… Si visitas a mi madre en París, aprieta su mano, así como tienes la mía… Ella sentirá mi calor a través de tu piel…

El Gitanes se tiñe de rojo y luego queda colgando, inerte como una rama caída y sin savia; los dedos de Alain se separan del isleño, y este lo mira atemorizado, articulando con voz sofocada:

—¡Alain…!

---

[84] Centro ceremonial que incluye uno de las más grandes plataformas de Rapa Nui con rocas de basalto calzadas perfectamente al estilo inca.

El pastor Jansson miró a Stig con aire incrédulo. ¿Había oído bien? Bebió un sorbo de *akvavitt* y volvió a repetir la pregunta:

—¿Estás seguro de esa decisión?

Stig la repitió. Había pensado mucho en Arvika, dijo, y hallábase dispuesto a ingresar al Instituto de Rehabilitación Emocional, aunque desconfiaba de sus resultados.

—Me parece un milagro oírte —dijo el pastor— y me alegro de veras. ¡Estoy seguro de que no te arrepentirás, Stig! ¿Deseas tener pronto una entrevista con el profesor Moberg?

—Sí. En cuanto al costo del tratamiento, sé que es muy elevado.

—En efecto, unas 200 000 cibercoronas.

—También he pensado en eso y creo que tendré que recurrir a mis ahorros o hipotecar el piso.

—No necesitas hacerlo, Stig. Yo te ayudaré con lo que sea necesario, unos 100 000. Puedes contar con ellos.

Stig dirigió a su examante una mirada cautelosa; se sentía humillado.

—No creo que pueda aceptarlas —dijo, tal vez demasiado rudamente.

—¿Por qué no, Stig? ¿Puede haber dinero mejor empleado? Considéralo como un préstamo.

Se encontraban en un café ubicado en la calle de Tegnérgatan en Estocolmo. Mediaba agosto y aún hacía calor. Tres días atrás, el pastor y su mujer habían regresado de su veraneo en el Báltico, mientras que, incapaz de permanecer en Arvika, Stig viajó antes a Estocolmo, aguardando el regreso de Lars para informarle de esa determinación generada en medio del infierno de su pueblo natal.

¿Estaba seguro de que todo no era una insensatez?, pensaba Stig aquella noche. La idea de romper su deseo irracional mediante un tratamiento se le antojó tan peregrina como incomprensible. Dudaba que todo eso pudiera conducirlo a algún cambio. Era como si a un ciego de nacimiento se le ofreciera el don de la vista, luego de treinta años de oscuridad, para enfrentarlo a un mundo al cual solamente conocía a través del mundo de los instintos más primitivos, de la imaginación y de los comentarios ajenos. ¿Comenzaría a ver por primera vez, no solo a desear pero también amar a otro hombre? El pastor intentó explicarle que todo eso consistía, más bien, en una actitud mental, pero Stig tenía conciencia de que su caso no era lo mismo que el de Lars: este podía indistintamente amar, que no solo desear sexualmente a una mujer o a un hombre, y la mejor prueba era, ciertamente, su decisión de casarse con Alwa. Pero Stig no soportaba las caricias femeninas. Todo su ser y su estructura psíquica se hallaban configurados hacia la pasiva y delicada actitud de una vehemente dependencia. No, no podía ser lo mismo. No obstante, estas reflexiones no estaban destinadas a modificar esa decisión que surgiera en las turbulentas horas de Arvika.

A esa misma hora, tras algunas asombradas preguntas de Alwa (*Te encuentro extraño, Lars; ¿qué te ocurre?*), el pastor resolvió relatarle la entrevista sostenida con Stig en el bar de Tegnérgatan. Alwa parecía tan sorprendida como lo estuvo Lars aquella mañana.

—Creo que Dios ha escuchado mis ruegos, Alwa —confidenció el pastor—. ¡Stig encontrará ese anhelado camino, como yo junto a ti! ¡A él le he deseado, lo sabes, una dicha como la que disfruto a tu lado!

—Sí, Lars, ¡yo también se lo deseo! ¡Estoy segura de que Stig terminará amando a Linn o a quien sea!

El reloj del campanario dio doce badajadas que se perdieron entre los magnolios y limoneros cuyos aromas llegaban desde el jardín.

Unos reflectores parecidos a los del Ko Shing Opera House vuelcan aquella noche su resplandor sobre la figura de Barry Fletcher en el escenario del Camoens, de Macao. En un palco, que poco se identifica con las tradicionales aposentadurías de la sala de Hong Kong, las cuatro mujeres que rodean a Vincent Mac Lain van siendo gradualmente cautivadas por el sortilegio vocal del artista. Belkiss Jóla posa su mirada al lugar donde, junto a los coristas Bert Nichols y Florence Wilth, toca el piano su nuevo amigo, Paul Mills, con quien compartirá algunas horas de pasión. De cuando en cuando, Paul levanta sus ojos hacia la grácil portuguesa, desnudándola con la imaginación, como Barry a Sidchalean.

—¿Lo habías escuchado antes? —pregunta esta última volviéndose a Belkiss.

—Solamente en mi reproductor. ¡Me parece increíble tenerlo tan cerca! Mañana, cuando os marchéis, me parecerá un sueño.

En el intermedio, mientras guiada por Belkiss, Sidchalean y Janet beben un refresco, Helvi Kylliäinen comenta, dirigiéndose a su amante norteamericano:

—¿Sabes, Vincent? Antes de ver a Paul acompaña-do de Belkiss, pensé que era Janet la que estaba destinada a Barry, pero ahora parece que es a ella a quien le falta su pareja.

—No estoy seguro de eso, querida: Janet no ha desaparecido del todo de la órbita amatoria de Barry. Le gusta jugar con ambas.

Después de finalizar la velada artística del Camoens, se dirigen al muelle. El atiborrado coche Yan es aliviado de su peso y reemplazado por un silencioso *sampán*[85] que los conduce al flotante Macau Palace, donde los aguarda una mesa con platos portugueses y, más tarde, a las alternativas de las salas de juego. Mareados por nuevas porciones de cachaza y de vino, Barry y su comitiva circulan por las diferentes mesas y, al abandonarlas, más allá de las cuatro de la madrugada, Barry se vanagloria de haber dejado 9500 patacas en el *craps*[86] y Pau se lamenta de haber ganado solamente 7000 en las *fan tan*[87].

Al llegar al hotel, mareados y bulliciosos, Paul y Vincent se refugian con sus respectivas amantes en sus habitaciones. Desbocada nuevamente por el alcohol, la imaginación de Barry despedaza las ropas que lo separan de la esplendorosa desnudez de la tardía adolescente. ¿Accederá finalmente Sidchalean a subir a su habitación, vecina a la de ambas? Mientras su diestra sostiene la mano izquierda de la tailandesa, esta se aferra, indefensa, a la de Janet.

—¡Yo tampoco puedo sostenerme en pie! —dice Sidchalean.

---

[85] Embarcación ligera propia de China, para la navegación en aguas costeras y fluviales, provista de una vela y un toldo y propulsada a remo.

[86] Juego de azar mediante dados.

[87] Juego popular chino realizado sobre un dibujo en una superficie plana.

Janet se vuelve a ella y dice con voz seria, casi de reproche:

—¿No quieres entonces estar al lado de Barry?

—¡No!..., no lo sé... tengo tanto sueño, ¿comprendes?

Mientras el ascensor sube, Barry y Janet cambian una mirada de complicidad. Al detenerse en el piso donde se encuentran las habitaciones, Barry introduce la llave en la puerta. Sin despegarse del lado de Janet, Sidchalean vuelve hacia él todo el peso de su miedo, un miedo atávico mezcla de curiosidad, pero ya inútil...

imoteo Paoa ha ofrecido su lancha para cumplir con la última voluntad de Alain: ser sepultado en el mar, en el mar de una isla a la cual lo ha conducido la casualidad. Pudo ser en el de centenares de otras islas en el mundo, pero la saeta del destino estaba, acaso, lanzada en esa dirección desde tiempos inmemoriales. Y tal como meses antes acaeciera en Robinson con Sebastián Rojas, debieron sortear la vigilancia de las autoridades antes del amanecer, después de enterrarlo provisionalmente en el cementerio de Tahai. El cuerpo de Alain fue arrancado de su apócrifa sepultura y llevado a la embarcación de los Paoa, Tiara al timón, la oscuridad de la noche ocultando su llanto, y cerca de ella Damián, Fernando Araki, Alejo Rapahango, Marco Pakomio, Jacques Théberge, Anastasio Paté y su mujer, obstinándose esta en integrar este fúnebre peregrinaje. En casa de Timoteo Paoa, su mujer e Isabel Pakomio tratan de consolar a Silvana Rapahango, cuyo abultado vientre otorga mayor patetismo a sus sollozos. El día anterior, Bragoslav Ovac y su mujer habían abandonado la isla en dirección a la convulsa y decadente Europa y solo pudieron ver a Alain fugazmente poco antes del simulado entierro. La abatida Draskic aprisionó una mano de Alain, incapaz de decir nada, y una mudez semejante paralizó al marino serbio.

Cubierto con una antigua y raída bandera francesa que Jacques Théberge guardaba entre sus enseres, el cadáver de Alain yace en el fondo de la barca, amarrado con acordadas fibras de *mahute*. Unos y otros intercambian miradas que la oscuridad no permite descifrar. El seco trallazo del oleaje se entremezcla con los sollozos de María Atan y de Tiara. El padre de esta otea alternativamente el brumoso horizonte y ese inanimado cuerpo cubierto parcialmente por la bandera de su ya caduca patria, a la que rehusara volver.

Timoteo aminora la velocidad y dirige la lancha hacia los acantilados de Orongo. Espectrales y mudos, no tardan en perfilarse los tres islotes legendarios hasta llegar al Motu Nui. El monótono zumbido del motor va amainándose hasta detenerse. Fernando Araki enciende una linterna. El llanto de las mujeres se confunde con el chasquido de las olas y con las palabras que los pascuenses repiten en voz baja:

—¡*Koia e hiri te rangi*![88] ¡*He hangu potu ka che ki kite alúa*![89]

Anastasio Paté, que junto a Jacques Théberge y Fernando Araki sostiene los pies de Alain, de pronto ordena:

—¡Ahora!

Damián aprisiona la rubia cabeza oculta por el paño tricolor y ayuda a levantar el cadáver, que, en un sincronizado movimiento, precipitan a las aguas… El cuerpo alcanza a flotar unos segundos hasta que los pesos amarrados en sus tobillos cumplen su función; la bandera que lo cubre, demasiado corta, se ha desprendido en un extremo, permitiendo ver los dorados mechones heridos por los primeros fulgores del alba. Algunos tabaques hienden el espacio junto al Motu Nui mientras los sollozos de Tiara se tornan más agobiantes.

---

[88] «¡Que él vaya al cielo!».

[89] «Hijo mío, ¡ve con Dios!».

—Bueno, todo ha terminado —expresa Théberge en un susurro que se entremezcla con el llanto.

Con los faros encendidos, un *jeep* avanza en dirección a Vaihu. Botes y lanchas de pesca comienzan a vislumbrarse en Punta Baja y Apina Hiti.

—¡Tengo mucha pena! —se oye de pronto, entrecortada, la voz de Tiara—. ¡Cuando murió tío Lari me sentí igualmente desgraciada! Dios mío, ¿qué haremos sin él? ¡Su alegría nos animaba a todos! —Se vuelve a Damián—. ¡Me alegro de haber podido llevarlo por la isla, de haberte llevado a ti y a él! ¿Recuerdas cómo cantaba por los caminos? ¿Qué harás ahora sin Alain?

—No lo sé, Tiara. Le prometí ir a ver a su novia en París.

—Sí, sé que tienes que hacerlo. ¡Será terrible para ella, para ambos!

—Es posible que a Denise le cueste comprender esto.

—Hiciste lo que debías —interviene Timoteo—. Alain está donde quería estar, y eso es sagrado. Su *aku aku* estará cerca de los seres que él amó. —Se queda con la vista detenida en los contornos del Poike que inicia, a lo lejos, su matinal ablución de luz—. ¿Quieres bajar en Hanga Roa[90] o en el muelle del hotel?

—Creo que debo ir al hotel. Trataré de dormir.

—Nosotros también lo intentaremos —acota Marco. Enfundado en una chaqueta de cuero, su rostro exhibe las facciones desencajadas—. ¡Me alegro de que mi mujer esté todavía en el *conti*! Estas situaciones la afectan mucho, como a mi hija Isabel.

Jacques Théberge enciende un cigarrillo.

---

[90] Hanga Roa es la principal localidad y puerto de Rapa Nui (isla de Pascua).

—La vida es un asco —masculla—; creo que no es más que eso.

La lancha se aproxima hasta detenerse en el embarcadero del Akahanga. Con sus colores blanco y amarillo, una docena de escúteres se hallan alineados bajo el cobertizo. Damián alcanza el primer peldaño de piedra y se despide, abrumado por la desolación y el cansancio.

—¡No olvides que somos tus amigos! —le recuerda Marco—. ¡Esperamos verte en casa o en la de Paoa!

—¡O en la nuestra! —agrega Fernando Araki.

—¡Ya conocerás también la mía, Damián! —propone Anastasio.

—¡Te esperaré en el Te Api! —prosigue Marco Pakomio—. Dentro de dos días llega mi mujer y quiero que la conozcas. —Se acomoda en la popa—. De todos modos, con o sin Alain, haremos ese curanto al que me referí esa noche… ¡y lo dedicaremos a él! Los transformaremos en un *umu pare haianga*, un curanto[91] fúnebre.

La mano de Tiara se agita en el aire cual diminuta golondrina y Damián oye de nuevo el zumbido del motor, familiar para sus recuerdos. La lancha vira en dirección suroeste, de regreso a Hanga Roa. Faltan doce minutos para las seis de la mañana del jueves 29 de abril.

Arrodillada en el suelo, una pascuense limpia con una bayeta los cristales de la puerta batiente. Interrumpe su faena para dar paso a Damián, mirándolo con asombro, es el único pasajero que se encuentra en pie a esas horas; los demás, alrededor de trescientos cincuenta, permanecen aún en sus habitaciones.

---

[91] «Curanto» es un método tradicional milenario de cocinar alimentos originarios del archipiélago de Chiloé (Chile) que utiliza piedras calientes enterradas en un agujero que se tapan con hojas vegetales.

Damián llega a la suya y se sienta al borde de la cama, intacta, como la de Alain. A lo lejos, los siete moáis del *ahu* Akivi surgen coronados por pequeñas nubes blanquecinas que discurren por el añil de la atmósfera… Incapaz de soportar esta desolación, se tiende sin desvestirse. Salpicada de etiquetas de hoteles descoloridas por el tiempo —Guaraní, Asunción; Tequendana, Bogotá; Takanawa Prince, Tokio; Dusit Thani, Bangkok; Continental, Buenos Aires; Coatí, Robinson Crusoe—, una maleta de Alain yace sobre una banqueta de fibras entrelazadas de palma y mahute; junto a ella, sobre una mesa, los implementos fotográficos y de grabación que contienen muchas horas de imágenes que le permitirán revivir momentos absurdamente, como esos héroes de viejas películas resucitadas convertidos en polvo y cenizas que vuelven mediante inteligencia artificial a conquistar ciudadelas, mujeres y fortunas.

Con su prominente tórax en el que resaltan las costillas, el rojizo moái *kava kava* que le obsequiara Fernando Araki está junto a la réplica de arcilla de la golondrina de Tiara. (*No, su dios ya no podrá salvarme…*) Más allá, al lado de una camisa, Damián descubre un *kohou rongo rongo*, la tablilla parlante que adquiriera dos días después de llegar a la salida del museo Englert, réplica en madera de makoi de la que vieran dentro. Damián evoca ese día vívidamente…

Una docena de turistas conducidos por Uka Terongo circula lentamente contemplando los objetos expuestos en las vitrinas: cráneos con perforaciones de flechas de obsidiana, azuelas de piedras, anzuelos pendidos por tiras de cabellos humanos, *uas* y *aos*, los bastones de mando, *tokis* o cinceles de piedra, *hikas* y *haas* para tejer redes, placas pectorales de toromiro, petroglifos… Alain y Damián se han unido al grupo y escuchan las explicaciones que va entregando la guía, una nativa alta y cenceña. La emoción se apodera de ellos al descubrir el iluminado escaparate donde está la tablilla más valiosa de la isla y del mundo, cuyo hallazgo conmoviera a los círculos científicos.

—Yo tenía unos quince años cuando me enteré —dice Alain—. Fue un acontecimiento comparable con el hallazgo de la piedra Rosetta por uno de los soldados de Napoleón.

Los visitantes se aproximan al lugar donde se exhibe. Uka Terongo explica, ante la asombrada curiosidad de sus oyentes:

—Este *kohou rongo rongo* descubierto a raíz de la erupción del Rano Aroi en 2028 permitió descifrar el misterio de Rapa Nui y de su arqueología, controvertido durante cientos de años. Como las demás tablillas, unas veinticuatro aproximadamente, diseminadas en museos públicos y privados, está escrita en madera de toromiro, con caracteres bustrofedón, de izquierda a derecha y viceversa[92]. La diferencia consiste en que la otra cara contiene signos ideográficos de otra civilización, la del antiguo Egipto, lo cual confirma la relación entre ambas. Este hallazgo permitió descifrar los demás *kohou rongo rongo* y aclarar las múltiples interrogantes que durante centenares de años fueron acumulándose acerca de esta isla y otras.

—¿Quiere decir esto —interroga, con germánico acento, una mujer madura— que los pascuenses provenían de Egipto?

Habituada a todo género de preguntas, Uka Terongo le explica la existencia de Mu, el continente sumergido, de donde, según las tablillas interpretadas, procedían los primitivos pobladores, en el año 306 d. C.

—La relación existe —agrega— y trataré de explicarla: Hace miles de años, un cataclismo, como el de la Atlántida,

---

[92] Tipo de escritura que consiste en redactar alternativamente un renglón de izquierda a derecha y el siguiente de derecha a izquierda o viceversa.

hundió a Mu en el océano. Para que comprendáis mejor, debo mencionar a Make-Make, el dios de los isleños. Procedente del espacio en un carro de fuego, presumiblemente una nave extraterrestre como las que conocemos, ordenó el éxodo de los sobrevivientes de Mu a esta tierra que quedaba en la misma dirección de la Gran Pirámide. Él ordenó traer de allí a las naves de papiro para trasladarse a esta isla, la más distante hacia el este, el ombligo del mundo —«*te pito ote-henúa*»—, y concedió a su primer *ariki*, Timotapu, predecesor de Hotu Matu'a en 1600 años, el poder telequinético o *mana* para trasladar grandes bloques de piedra de un lado a otro, como había ocurrido con monumentos megalíticos de Oriente, Occidente y Centroamérica.

—¿Podía entonces ese *ariki* mover los moáis que hemos visto a lo largo de la isla? —pregunta un canadiense.

—Los pocos que alcanzaron y utilizaron el *mana* —informa Uka Terongo— pudieron desplazar los grandes moáis desde las laderas del Rano Raraku. La cesación de ese poder explicaría la detención de muchos de ellos entre el volcán y los *ahu*, adonde estaban destinados, aunque se supone que después continuaron el traslado por medios mecánicos.

Al abandonar el museo, Alain adquiere la réplica, en madera de makoi, de la tablilla ideográfica.

—Esa que está adentro —comenta— se cotiza en millones de dólares, pero no creo que sea posible evaluarla en dinero convencional. Ahora comprendo el fervor de los pascuenses por su dios Make-Make y las semejanzas arqueológicas e idiomáticas con Egipto: *raá*, sol en ambos idiomas; *hemáa* en pascuense, *hálina* en el antiguo egipcio. ¿No te parece impresionante? —Enciende el motor del escúter y agrega—: Tal vez en otra tablilla parlante se encuentre la respuesta a ese enigma, el mayor de todos, el que nos afecta. Supongo que sabes a qué me refiero:

«Make-Make, un dios venido de lo alto en un carro de fuego».
Sí, él u otros como él deben tener la respuesta…

Tirado en la cama de la habitación del hotel, incapaz de dormir a pesar del cansancio, Damián se acerca al *rongo rongo* y desliza sus dedos por su superficie, esculpida en ambas caras. (¿Tienes ya resuelto el misterio, Alain? ¿Dónde has podido descifrarlo? ¿Tal vez en alguna tablilla azul o roja de cualquier color y tamaño escrita con signos conocidos o no para nosotros? Pero ya es demasiado tarde y seguramente no te importe, porque no puedes volver a este mundo que acabas de dejar, en el que está Denise, a la que no volverás a ver, al menos no aquí, sino allá o en otro sitio, donde ese dios u otro cualquiera te la haga recuperar).

Su mirada se detiene en el horizonte ya iluminado, los siete moáis del *ahu* Akivi coronados del oro de esa mañana de muerte. ¿Dónde se ha ido ese *mana* que pudo moverlos? Los ojos se le nublan; le parece sentir la voz de su padre como cuando subiera en Robinson a lo alto del mirador de Selkirk. «Lejos, lejos… debes ir lejos…». Tiene miedo de enloquecer. «¿Por qué lo escucho, si no existe? ¿Es esto la locura», se pregunta en medio del llanto que por fin desborda sus ojos. Agobiado, se deja caer al borde de la cama de Alain. El *kava kava* cae de sus manos. Recuesta la cabeza sobre la almohada, la misma donde apoyara Alain su cabeza, la cabeza de un pequeño dios mortal, despedazado en mil estrellas azules, como el alma de Danuta Chikiewicz, aquella intérprete polaca destrozada por la muerte de su amante en los primeros meses de la peste azul…

El prestigio del instituto del profesor Moberg había transcendido a gran parte del mundo occidental. Inaugurado en 2035, en un excepcional paraje al norte de la capital sueca, se hallaba rodeado de jardines y pabellones de deportes extendidos en la plácida campiña de Frösunda. Una caravana de hombres y mujeres arrastrando el peso de alguna anomalía relacionada con el comportamiento o la sexualidad se encontraban en este lugar: frígidas, impotentes, fetichistas, sadomasoquistas violentos... También había una multitud de pedófilos obligados por sus familias, a pesar de los infructuosos movimientos en pro de su legalización por parte de ciertos grupos escandinavos. Afortunadamente, las autoridades del Gran Consejo Islámico de Estocolmo habían emitido una *fatwa* condenando estas prácticas y varios suecos habían sido impunemente degollados de manera ritual como advertencia para el resto por promover enfermizas relaciones con los niños.

Un seleccionado equipo de técnicos coordinaba un trabajo de apasionante eficacia. Su elevado costo no impedía que estuviese constantemente ocupada su escasa centena de plazas, cuya reserva solía efectuarse con anticipación de ocho o quince meses; pero esta vertiginosa estadística se resintió a causa de la peste azul, lo cual era dolorosamente comprensible. La técnica empleada para los casos de adictos al sexo se iniciaba con un exhaustivo reconocimiento físico y endocrinológico. Luego intervenía un equipo de psicoterapeutas, psicólogos conductuales, psiquiatras y neurólogos que conducían la investigación hasta los más abstrusos planos del subconsciente, sincronizado con una implacable terapia de reflejos condicionados. Además, se sumaba una intensa convivencia en la que la privacidad sexual había desaparecido bajo el severo control de una monitora jefe que supervisaba los diferentes grupos de tratamiento: cada relación sexual era convenientemente grabada y luego discutida en las sesiones clínicas.

—A no ser por la peste azul, no habría podido darte cabida antes de ocho meses —declaró el profesor Moberg en su despacho—. Es una maldición, pero una suerte para ti, en cierto modo. —Stig se vio obligado a expresar su escepticismo. Andrés Moberg continuó diciendo—: La mayoría de los que ingresan piensan de una manera parecida, hasta que no reciben los primeros resultados.

El científico, un tipo alto y ligeramente calvo, adelantó algunos pormenores del tratamiento, asegurándole que podía iniciarse a mediados de septiembre. Sonrió ante la preocupación de Stig por mantener en secreto su admisión en el instituto. Más tarde lo acompañó hasta la entrada del edificio. Algunos psicotécnicos y enfermeras no apartaron la vista de ellos.

—Lo siento, Stig, pero ya te han reconocido —observó Andreas Moberg—. Es inevitable, no eres un paciente cualquiera.

Stig salió del edificio intentando mantener su dignidad ante multitud de pacientes y trabajadores que le espiaban por las ventanas y se subió al coche que le aguardaba.

El automóvil de Lars avanzó por la pista electromagnética de Uppsalavägen; cruzaron delante del legendario pabellón de Gustavo III en las vecindades de Naga Slett y en ese momento Stig preguntó, con voz cansada:

—¿Alwa lo sabe ya?

—Prometí mantener toda la reserva posible, Stig…, pero debo confesarte que sentí la necesidad de contárselo. Tal vez me lo reproches.

—Puedes ahorrarte esos escrúpulos, Lars. Después de ver a todos esos tipos allí en el instituto, no tardará en saberlo toda Suecia. Tampoco fue posible ocultar la noticia de mi excarcelación, ya sabes.

En efecto, periódicos y revistas y los canales de televisión informaron del indulto de Stig, y algunos mencionaron la influencia que en este esfuerzo tuviera su propia víctima. El vespertino *Aftonbladet* y el *Stecholms Tidnigen*, este último resurgido de las cenizas de veinte años de silencio, publicaron fotografías en que aparecían el pastor junto a Lars en la terraza del café Stjärna, en Malmö, y la verdad es que ninguno de los dos pudo explicarse en qué momento fueron captados por algún *paparazzi* sueco en busca de una primicia gráfica.

—Cualquier cosa que ahora se diga respecto a mí me tiene sin cuidado —comentó Stig—. Dentro de poco comenzaremos los ensayos de *Vuelve a Kiruna* y ahí me daré cuenta de lo que saben de toda esta historia.

Pero lo que Stig calculaba una desagradable escena se convirtió en una grata camaradería que conmovió al actor. Actores, utileros y tramoyistas, Dag Forslund entre ellos, lo rodearon con palabras de simpatía.

—¡Confiábamos en que volverías a nuestro lado, Stig! —exclamó el director. Sus ojos lucían húmedos detrás de los lentes—. No nos importa nada de cuanto ha ocurrido, sino una cosa: que te reintegras al Dramatiska. Lamentablemente, no estamos todos los que dejaste.

Durante la ausencia de Stig, informó Dag, el conjunto teatral sufrió la baja del actor Peter Lindbomb que yacía en el Hospital Karolinska tras haber sufrido un accidente durante sus vacaciones. Stig sintió como si lo golpearan. Recordó a Peter Lindbomb acompañándole de un bar a otro, pletórico de animación y de secreta tortura, presintiendo su caída.

—Bueno, todos estamos bajo el mismo temor, Stig —apuntó Bengt Sylwan, el actor que lo reemplazara después del incidente de la Skär Vår—. Tu ausencia permitió ver realizado uno de mis mayores anhelos, actuar en el Dramatiska.

—No te preocupes, Bengt —le dice Dag Forslund—. Actuarás en la pieza siguiente… No quise decírtelo antes. Es una pieza difícil donde tendrás una buena actuación. Espero que podamos correr las cortinas en diciembre… el último de la década.

Aunque ya conocía la obra, Stig se quedó para asistir a la lectura del primer acto. Los delicados engranajes de la pieza de Uno Enquist contenían ingeniosos diálogos en los que se entremezclaban la poesía y la nostalgia. Nacido en Norrland, el joven dramaturgo se perfilaba como una promisoria figura en la literatura escandinava.

—Estoy de acuerdo con Dag cuando afirmó que tu papel en esa pieza sería sobresaliente —vaticinó Hjalmar Lafrensen—. Será tu triunfal reintegro al Dramatiska.

Dos horas más tarde fueron todos al Fläsk, un sofisticado *källare*[93], para celebrar la reaparición de Stig. En medio de una emocionada algarabía se escaparon recuerdos, risas, lágrimas y augurios. Visiblemente mareado, los brazos de Stig rodean más tarde a Linn Borg y Hjalmar Lafrensen, a Bengt Sylwan, a Selma Onhsson, y a los utileros y tramoyistas, sin olvidar a Dag Forslund. Embriagado a su vez, este repetía sus deseos de longevidad a los integrantes del Dramatiska. La poco frecuente locuacidad del director recayó en el áspero tema de la resistencia del directorio para readmitir a Stig en la planta de actores. Irritado, este escuchaba cómo Dag describía aquella sesión donde sus argumentos encontraron serios escollos para convencerlos de la necesidad de reintegrarlo al conjunto. Mientras su voz se esparcía por el recinto, los actores se miraban entre sí. ¿Por qué se le había ocurrido al director revelar esos detalles? Selma Ohlsson, una actriz de carácter, se acercó a Linn para decirle:

—Esto es incomprensible. Temo que Dag ha bebido más de la cuenta.

Se produjo un extraño silencio. Desde alguna parte llegaba la jarana de otros bebedores. La voz de Stig surgió de pronto alzándose sobre murmullos y cantos:

—Te agradezco la defensa que hiciste en mi ausencia, Dag, pero te aseguro que preferiría volver al Dramatiska sin que necesitaras emplear esa apología.

El director lo miró enfurecido.

—¡Caramba, Stig…, había que ganar la batalla! ¡Era como un desigual juicio contra un acusado! ¡Ellos eran once y yo solo entre ellos!

---

93 Bodega-bar sueco.

—Bueno, ¡todos habríamos hecho lo mismo por Stig! —intervino Selma Ohlsson, conciliadora.

Stig sintió la mano de Linn rozando la suya y alcanzó a ver su sonrisa, que amortiguó la violencia. A su lado, Dag tenía los ojos brillantes. Más allá Hjalmar Lafrensen lo miró con expresión extraña, lamentablemente borracho; trastabillando, se puso de pie y se acercó a Stig.

—¡Todas estas historias se deben a esa maldita peste…, todas! —dijo con voz estropajosa. Su rojiza barba le temblaba como un instrumento sobre su pecho—. ¡A esa maldita que se llevó a Axel, que nos está llevando a Peter Lindbomb, que nos llevará a todos al diablo!

—Vamos, Hjalmar, cálmate. —Selma lo obliga a sentarse.

Stig apuró el resto de su vodka y miró a Linn. (*¿Sería posible que este cuerpo me haga vibrar dentro de tres o cuatro meses? Me cuesta comprenderlo*). Entonces se puso de pie, apartándola, al igual que al tramoyista, y gritó con una exaltación que hizo recordar alguna de sus intervenciones en el escenario:

—¡Brindemos por esos ángeles caídos, por esos ausentes cuyo derrumbe, como a Hjalmar, como a todos, nos ha herido; por Peter Lindbomb y Axel Ejderstadt! ¡Brindemos por su eterna salvación, si es que existe en alguna parte!

Linn se acercó a él.

—¡Te amo, Stig! —susurró en su oído.

Guiado por Janet May, el Singer avanza en dirección al funicular que los conducirá al punto más alto de Hong Kong, La Cima —The Peak—, atalaya turístico para millares de visitantes de varias generaciones.

La mano de Barry enlaza los tibios dedos de Sidchalean Dharmasakds. Dos noches atrás, en una suntuosa habitación del Vila Taiyip de Macao, esos mismos dedos se habían crispado en su piel durante aquella ceremonia pasional que quedaría imborrable en sus recuerdos, su enardecido sexo penetrando en el cuerpo de la tailandesa. Desnuda también, Janet participaba de forma masoquista en el ritual con torpes palabras de consuelo. Los quejidos de amor y de dolor de Sidchalean la herían y enervaban a la vez, mientras un hombre que había sido suyo pocos días antes transformaba a una casi adolescente en mujer. En medio de esa emoción nocturna, Janet se preguntó si ahora Sidchalean podría seguir siendo su amante. Todo parecía ya diferente, aunque ambas habían desembocado en la pasión clandestina empujadas por la soledad como millones de otras mujeres.

Un sentimiento culpable, que la cercanía de Janet no logra arrancar, gravita en el alma de Sidchalean en las horas siguientes. ¿Por qué se empeñó Janet en presenciar el humillante rito? ¿Era ella, la que tanto la amaba, quien la había empujado a él? Y entonces se pregunta si podrá soportar sus caricias después de haberse estremecido con las de Barry.

Ya en el funicular elevándose en pos de La Cima, la mirada de Sidchalean contempla la ciudad que va empequeñeciéndose gradualmente. Percibe los labios de Barry deslizándose por su pelo y sus párpados, entregándole esos diamantes de ternura que encienden la suya y remueven la sensualidad recién inaugurada, al paso que una sonrisa de complicidad ilumina las facciones de Janet. Mientras tanto Barry sufre una tormenta de emociones que no acaba de comprender... (*Me parece asombroso que haya sido mía. Su cuerpo era, en verdad, más cautivante de lo que proyectara mi fantasía. ¿Cómo es posible que pueda aún herirme el recuerdo de Deborah? ¿Qué maldición me encadena a su imagen?*).

Los deshilachados contornos de Hong Kong y Kowloon se confunden en una línea sinuosa. Hacia el oeste es posible descubrir los borrosos contornos del continente chino, los de Macao hacia un extremo, un exótico Macao que habrá de perdurar en el recuerdo de los tres.

—¡Nuestro piso queda allí! —señala Janet—. ¡Por ese lado está Kimberley Road... y aquel debe de ser el hospital donde trabajo!

Un grito seguido de otros estalla repentinamente y se quedan paralizados todos por la sorpresa ante la velocidad del drama que surge ante sus ojos: la carrera alienante y, luego, el mortal salto al vacío que protagoniza un joven de pómulos salientes. Sidchalean se refugia en los brazos de Barry en medio del desconcierto y de los exaltados comentarios del grupo que rodea e interroga a la acompañante del suicida.

—Cálmate, querida. —La voz del artista está visiblemente alterada. Después se une al corro de espectadores que rodea a la abatida muchacha y pregunta—: ¿No pudiste... detenerlo?

La aludida se limita a dialogar en su idioma con una chica oriental que luce un flequillo sobre la frente. Luego esta se vuelve al grupo y explica, en inglés, lo que su coterránea va diciendo: presentía el impulso de su amante, pero no fue capaz de impedirlo.

—Dice... que ella tampoco deseaba que la peste se lo quitara... —traduce—. Cree que su amigo, estará esperándola en algún lugar donde no existan ni la muerte azul ni la tristeza...

Fastidiado por el peso sombrío de esta escena, Barry separa a sus amigas del grupo de curiosos y oye a Janet desahogarse.

—¡No debimos venir a esta maldita cima! Vámonos, me hierve la sangre con todo esto...

Momentos después, el funicular desciende por los angostos rieles, en un costado de la trágica y verdosa colina; la cabeza de Sidchalean se apoya en el hombro de Barry. Ya abajo, algunos curiosos y dos policías señalan el ensangrentado lugar donde ha caído el suicida...

—Es una suerte que no hayan venidos los demás —reflexiona Barry mientras conduce el Singer en dirección a Kowloon.

Al detener el vehículo en Kimberley Road, delante del apartamento de las chicas, Janet dice:

—Espérame, bajaré en cuanto deje a Sidchalean acostada.

Janet conduce a la tailandesa al ascensor y poco después Barry la ve bajar.

—Está muy cansada, pero ya dormirá. —Lo mira irónicamente y agrega—: ¡Y no solo está afectada por ese suicidio!, ¿comprendes? ¡También lo está por tu culpa… y ya sabes a qué me refiero!

Camino al hotel Barry y Janet no se dirigen la palabra. El susurrante ruido del motor es el único que parece ocupar el habitáculo.

Una vez aparcado el vehículo por parte de un empleado caminan hacia el comedor del hotel donde se encuentran con Paul Mills del brazo de Belkiss Jóla, seguidos por Vincent Mac Lain y Helvi Kylliäinen, quienes les interrogan acerca de la ausencia de la tailandesa.

—La dejamos acostada en nuestro piso —informa Janet—. No se sentía bien. Vimos a un tipo suicidarse en La Cima. Se arrojó desde lo alto y Sidchalean se puso enferma.

Belkiss cambia una mirada con Vincent.

—También yo presencié un suicidio hace algunos meses —comenta—. Fue en Helsinki.

—Era su hermano —aclara Vincent Mac Lain—. Me lo contó anoche.

—Lo siento —murmura Barry de una manera brusca e intentando cambiar de tema un tanto forzadamente sube un poco el tono de voz—. Y tú, Belkiss, ¿de dónde eres? ¿Naciste en Macao?

—Mis padres vivían en Évora, donde me casé. Me vine a Macao con mi esposo. Era crupier en Estoril. Cayó de repente sobre la mesa de ruleta en la cual acababa de girar la bola, que se detuvo en el casillero negro, el 35, la edad que él tenía. —Sumerge un trozo de *won tun* en la salsa de tamarindo—. Planeé irme tras él, matándome como mi hermano Romeu, que lo hizo valerosamente, pero no me atreví. Soy cobarde; sigo siéndolo.

—¿Quieres una cerveza? —pregunta el pianista.

—Gracias, Paul. Un día, dos semanas después de la muerte de mi marido, mientras estaba delante del Templo de Kum Yan-Tong, percibí su presencia. Recuerdo que levanté la mirada a esa diosa de la misericordia, como se la llama, y le pedí que me enviara la muerte, ya que no era yo capaz de dármela. Y entonces escuché su voz, tan clara como la vuestra: «Quédate en Macao», me dijo. Y me quedé.

—Es extraordinario —comenta Barry.

—Después quise volver a Évora, pero comprendí que en cualquier parte daba lo mismo. Abrí una tienda de alimentos orgánicos en el Vila Taiyip y allí conocí a Paul.

—¿Conocéis ya los atractivos de la ciudad? —pregunta de pronto la finlandesa—. Presumo que habéis cenado en alguno de los restaurantes flotantes. Son pintorescos, ¡pero sin salas de juego!

Entre ella y Janet se suscita una inesperada controversia acerca de cuál habrá de escogerse para esa cena de despedida. Al paso que Janet destaca las cualidades del Sea Palace o de los modernos Sun of Orient y Marco Polo, la finlandesa defiende la exquisiteces del Tai Pak, cuyo dueño coreano se ha hecho famoso internacionalmente. Barry decide mediar entre ambas.

—Para que no os disgustéis, elegiremos un árbitro insobornable: el azar. Una moneda os dará la respuesta.

—Me parece una buena ocurrencia —exclama Helvi—. Aquí tengo una de cinco euros.

Barry la examina con curiosidad.

—No conocía las antiguas monedas europeas. Cuando niño quise ser numismático. Bueno, la pondré debajo de esta servilleta. Una de vosotros elegirá. La triunfadora señalará el lugar preferido.

—¡Cruz! —se apresura a vaticinar Janet May.

Paul levanta la servilleta, que ostenta las iniciales del hotel Península, y deja la moneda al descubierto.

—Cara... ¡Ha ganado Helvi!

—¡Entonces iremos al Tai Pak, como os propuse! — exclama la triunfadora.

En la tarde del 4 de mayo, tres cadáveres fueron sacados del Akahanga, dos de ellos sepultados en el cementerio de Maunga Puku Puh, cerca de la bahía La Perousse. Travis Parun, el primero de ellos, un neozelandés de 39 años, murió mientras hacía el amor con una boliviana. Luego fue Kall Walfberg, un esquiador vienés, y finalmente el profesor Yigal Amu, que sucumbió en una fase subaguda, rehusando ser hospitalizado. Su madre decidió llevar su cadáver a Jerusalén en la primera combinación supersónica.

Doblegado por la congoja, Damián se esfuerza por ordenar sus pensamientos. Dispone de una fortuna cuyas dimensiones aún no logra asimilar. Cualquier lugar de ese mundo que le fue siempre ajeno se encuentra ahora a su alcance, pero la tristeza y la incertidumbre reprimen su entusiasmo. Repentinamente lo acometen impulsos de regresar a su isla para distribuir ese dinero entre sus amigos, muchos de los cuales disponen de una perspectiva de vida mejor que la suya, pero recuerda la promesa hecha a Alain y una contradictoria desolación empaña sus decisiones.

En los días siguientes va de un lado a otro, sin saber qué hacer. Timoteo Paoa, que comprende su abatimiento, lo insta a trasladarse a su casa, pero Damián se ha propuesto permanecer en el Akahanga; esto no impide que comparta con él y con otros una velada o una comida. Su presencia está, para todos ellos, ligada a la figura del desaparecido Alain.

—Murió en esta isla y su *aku aku* quedará en ella —declara Timoteo Paoa una de aquellas tardes, sentado junto a Damián. La mirada de este se cruza con la de Tiara. Algo confuso y turbador se introduce en la piel y el alma del isleño, conspirando contra sus impulsos viajeros.

Timoteo le tiende un vaso de chicha y vuelve a preguntarle si le gustaría quedarse en Rapa Nui a su regreso.

—Te encuentras solo en el mundo, como nos dijo Alain. Quizás puedas encontrar aquí una compañera. Lidia te quiere como a su hermano Lari. Y yo…, bueno, Tiara y yo te apreciamos mucho. El ser humano no puede estar solo; si carece de amor o de compañía termina destruyéndose.

—Lo pensaré —dice Damián.

Por un momento, el silencio llena la pequeña sala. Sobre un estante se destacan la réplica de arcilla junto a varias figuras vernáculas, moáis *kava kava, tuturos*[94], una reproducción de un *ahu poe-poe* en forma de barca y peces disecados, entre los cuales hay un curioso pez mariposa que Tiara atrapó el año anterior.

—Son los trofeos de mi hija —dice Timoteo Paoa, señalándolos—. Ese es un *ivi heu* o pez espada; aquella es una *pikéa uri* de la cual hay una vieja leyenda.

—¿También buceas? —interroga Damián.

—Le encanta hacerlo —se adelanta a responder Lidia Paoa—. Se siente cómoda con sus botellas al hombro. Cuando

---

[94] Moái arrodillado.

viene alguna expedición científica, alterna con ellos. Cierta vez quisieron llevársela. —Intercambia con su marido una mirada significativa.

—¡Uno de ellos quería casarse! —dice su marido—. Bueno, Tiara tenía apenas catorce años. No recuerdo de qué ciudad era.

—De Ostende —dice Tiara, turbada.

Damián la mira con una vaga congoja.

—¿No te arrepientes?

—No. No me gustaría dejar Rapa Nui.

—De todos modos —vuelve a oírse la voz de Timoteo—, considera esta isla y esta casa como tuyas, y espero que alcances a conocer el resto de los lugares que pensabas visitar con Alain.

—Quedaron varios pendientes, tal vez los más importantes —interviene Tiara—: el Rano Kau, Orongo, Anakena…

—¿Cómo?, ¿no alcanzaste a mostrarle Anakena ni Ovahe? —pregunta su madre.

—Fuimos dejando todo para después —dice Damián, culpable.

—Mañana te acompañaremos al Rano Kau y a Orongo —propone Timoteo—. ¿Cuánto tiempo más te quedarás?

—Hoy me ocuparé de eso. Creo que debería viajar pronto. Lo decidiré esta noche.

Antes de volver al hotel, Damián se dirige a la agencia de viajes y averigua las próximas conexiones para Australia y Tahití. Comienza por mostrar a la encargada el billete de Alain, cuya fecha de partida, como su dueño, ha desaparecido. La joven, de pelo rojizo y ojos azules, una extraña mezcla de autóctonos rasgos isleños y noreuropeos *(Me llamo Dagmar Hotus, por si deseas salir conmigo)* lo mira expresivamente.

—Lo siento —dice, impresionada—. Por supuesto, ese dinero de tu amigo será reembolsado.

—No he venido por eso, sino a reservar un vuelo para mí.

—Sí, claro. De todos modos, lo siento mucho. —Consulta el libro de itinerarios—. ¿Prefieres avión o dirigible?

Damián recuerda que Alain optó por lo segundo, y así se lo hace saber, agregando que desea volar dentro de cinco o seis días.

—El miércoles, 12 de mayo, a las 11:30 tienes un dirigible de la Japan. Podrás hacer escala en Tahití y Nueva Zelanda.

—Puedes reservarme para ese día.

Ya en el hotel y en su habitación, comienza a ordenar sus pertenencias, como si tuviese que partir al día siguiente; pero no es otra cosa que la angustia lo que genera en él esa inquietud, una angustia que le acomete cada vez que sus ojos tropiezan con algo de Alain: zapatos, camisas, chaquetas o imágenes en común. Damián tendrá que cumplir con la petición postrera de su amigo y llevarse esos enseres. Decide reunir el material de grabación en un solo bolso y su ropa en la maleta. La suya será más liviana. El sofisticado dron y la *blacklight* las llevará colgadas al hombro. Ya ha aprendido a operar ambas y podrá seguir sacando recuerdos inútiles que contemplarán otros después que él haya muerto, como él volverá a presenciar la resurrección de Alain ahora que ya no existe.

Al desvestirse, descubre una manga de un pijama asomándose bajo los almohadones, y ese puño de seda sin mano le entrega la terrible realidad de una ausencia ya definitiva. Después todo va desdibujándose en su cerebro y comienza a remontarse por el espacio, y se ve a sí mismo cabalgando en un caballo con plumas, su padre y Alain montados en un moái como el de Te Piko Kura[95], de un negro brillante. Los tres avanzan por la costa de Vaihu en dirección al mar; cruzan por delante de los islotes Motu Kao Kao, Motu Iti y Motu Nui, hasta perderse en el horizonte, y se sorprenden encima de un valle desierto. No hay más que arena bajo su vista. Su nave equina pierde velocidad y atraviesa por un extraño y espectral bosque que, en lugar de árboles, exhibe monumentos, obeliscos y columnas derruidas…

La perplejidad lo abruma al despertar; el alba de Rapa Nui filtrándose por los cortinajes y su billete de viaje encima de la mesa de noche, con su sobrecubierta de filigranas doradas sobre el fondo rojo de la Japan Airlines: «Rapa Nui-Papeete-Sídney…». No, no es un sueño; ya este ha terminado. Dentro de poco remontará de nuevo por el espacio, esta vez solo, abrumado de tristeza y desconcierto. Recuerda de pronto que Timoteo y su hija estarán esperándolo para la excursión a Orongo y se mete bajo la ducha. Seis o siete días antes, demasiados pocos para comprenderlo, en ese mismo baño se escuchó la voz de Alain canturreando *L'automme pour toi*, que al salir desnudo bajo la toalla exclamó con vital animación: «¡Es bella la vida, hermano, cuando se es joven y hay alguien esperándole a uno con amor… y una ducha caliente! Bueno, ¡ahora es tu turno! ¡Y quiero oírte cantar cualquier cosa, aunque sea un berrido!».

Ya abajo, alcanza a ver furtivamente la figura de Dagnar Hotus.

---

[95] El moái más grande de toda la isla.

—El próximo helibús a Mataveri saldrá dentro de quince minutos —le advierte.

Sube a la azotea y espera la llegada de la nave aérea que traerá a los recién llegados pasajeros, varios supervivientes de la pandemia entre ellos…

El actor Stig Tornval ingresó en el Instituto de Rehabilitación Emocional a mediados de septiembre de 2039. Las bajas de la pandemia proseguían a través del mundo y ya nadie esperaba mucho del cielo o de los infiernos. ¿Cuál era el objeto de rehabilitar una condición sexual o emocional en un universo plagado de cadáveres? ¿Qué razón existía para abandonar el sexo puro y duro en pos del amor? Parecía insensato, pero había que seguir viviendo, y esta filosofía se arrastraba desde muchos siglos antes de que empezara esta carnicería azul. Así pensaba Stig Tornval y los demás componentes de esas ya raleadas filas de sujetos —215 en total— con que contaba ahora el instituto.

Los exámenes a que fuera sometido el actor revelaron normalidad, a excepción de un aumento de la melatonina, sustancia inhibidora de la actividad hipofisaria de la controvertida glándula pineal.

—Pero aun así —le informó Andreas Moberg en una entrevista sostenida en presencia de una experta neuróloga—, eso no significa que tu problema sea necesariamente endocrino. Sin embargo, serás sometido previamente a una terapia a base de melatonina e inyecciones de 8-arginina-vasopresina... —Y con sencillos esquemas fue explicándole lo que significaba. Luego sería instruido, agregó, por el equipo de psicotécnicos que encabezaba la mano derecha del doctor Moberg.

Stig continuaba, sin embargo, dominado por el escepticismo. Seguía pensando en Lars y lo acariciaba lascivamente en sus sueños destructores, sin dejar de ingerir substancias epifisarias y pormenorizar sus experiencias sexuales primitivas anteriores, que el equipo analizaba despiadadamente. Dos semanas más tarde se iniciaron las sesiones de reflejos condicionados en una habitación que tenía trazas de un submarino o una central de computación: gigantescas consolas, paneles electrónicos, multicolores luces, todo dirigido a canalizar las sensaciones de Stig hacia un nuevo universo, el paulatino acercamiento al mundo de las emociones. ¿Estaba destruyendo su cielo o sepultando su infierno, un infierno arrastrado a través de treinta años? Todo ello le resultaba excesivamente femenino. Él era homosexual, pero muy masculino. Entonces comenzaron a surgir imágenes vertiginosas, una sinfonía de cuerpos extraños, mujeres y hombres cargados de luz o de opulencia: mulatos, rubias, negros, maduras y chicos adolescentes. Incluso escenas de violencia: guerras, sexo grupal, sado... Todo gravitando en torno a sus sentidos como un espectral planeta de muchas lunas; cópulas extrañas inverosímiles en medio de gemidos acústicos, visiones lúbricas que adquirían la grandeza y la soberbia de sus encuentros eróticos con Lars, y antes de él, con Svante Tuve y Gunnar Hpertonsson... Las sesiones eran psicológicamente agotadoras.

Luego de semanas de lacerantes sensaciones, Stig llegaba a los ensayos del Dramatiska empapado en una luz nueva, desconocida. Cierta noche, durante el ensayo de una escena de *Vuelve a Kiruna*, sintió que su sangre comenzaba a bullir mientras sostenía aquel diálogo con Selma Ohlsson. Inclinado hacia el cuerpo de la actriz, algo extraño y turbador comenzó a dominarlo, un erotismo que no le era desconocido. El vendaval lo enceguecíó más allá del texto haciendo danzar sus arterias, y apoyó su enardecido cuerpo sobre el de Selma. Ella, atónita, lo miró sin comprender ese realismo que escapaba del libreto y se sintió envuelta en calor animal, pero entonces, avergonzada, lo apartó... Tras unos instantes de perplejidad, Dag Forslund se puso de pie y se acercó a la boca del escenario.

—¡Has estado estupendo! —exclamó—. ¡Creí que ibas a seguir como un potro en celo delante de todos!

Hjalmar Lafrensen y Linn Borg lo miraban desconcertados.

—Stig... ¡ha sido una escena... terriblemente real! —dijo Linn conmovida.

—¡Todos comenzamos a excitarnos! —comentó irónicamente Hjalmar.

Stig miraba a los demás con expresión confusa. «¿Estoy enloqueciendo? —se dijo—. ¿Es esto el comienzo de la insania? ¿Ahora me va a gustar cualquier persona independientemente de su sexo?». La idea le resultaba muy turbadora.

Esa noche, una noche parecida a la de Arvika, volvió a experimentar una excitación en todo su ser, una fogosidad primitiva recién construida pero sin sentimiento alguno. Incluso menos sentimientos que antes, como hacía unas horas junto a Selma Ohlsson, y la imagen de Lars pareció hundirse en una oscura y distante galaxia, pero se durmió pronunciando su nombre...

Paralelamente a las ampollas de 8-arginina-vasopresina y un compuesto de triptófano, y más tarde de 5-Hidroxitriptófano y de N-Acetilserotonina, a Stig se le aplicaba estimulación magnética transcraneal tipo MAGTRA dirigida a la glándula pineal, alternando todo esto con la implacable terapia psicoestimulante y de reflexoterapia condicionada.

El actor terminó por confiar a Andreas Moberg aquella sorpresiva irrupción de una sexualidad aún más primitiva que la precedente. El facultativo le explicó que no era el primer caso en que los inicios de la rehabilitación emocional eran precedidos por un aumento de la libido un tanto descontrolada. Sin embargo, no dejó de recordarle que, aunque todo su ser lo empujara a iniciar una actividad sexual, le estaban aún vedadas hasta poder equilibrarlo con emociones, que era el propósito último del tratamiento.

No fue preciso que transcurriera mucho tiempo para que Stig se estremeciera de nuevo con la piel de un ser humano, esa imagen siempre rechazada por sus instintos; sus manos inexpertas ciñeron finalmente ese joven cuerpo que le estaba, empero, prohibido poseer… Vigilado por la fría mirada de la médico encargada, un enardecido Stig se arrastra por la ondulante sensualidad de una piel masculina, la de Peter Bluemart, un holandés de diecinueve años, su primera pareja técnica… Violentamente excitado, se diría que se encontraba a punto de romper el obstáculo que se alzaba entre su deseo y el placer, pero terminó incorporándose ante una señal de la doctora.

—Todo ha estado bien, Stig —lo anima la doctora con un tono compasivo—. No te preocupes… ¡ya te satisfarás normalmente!

—¡Fue un sufrimiento compartido, Stig! —susurra a su lado Peter—. ¡Ya nos desquitaremos! —Y, envuelto en una toalla, desaparece en dirección a los lavabos.

Mas no es solamente en el instituto donde Stig experimenta la crueldad del deseo reprimido: saetas de fuego análogas penetran en su sangre y su piel en ese juego de amor insatisfecho que se genera en la proximidad de otro cuerpo, el de Linn Borg, que tentadoramente se le ofrece cada tarde. En una necesidad de asistir a su paulatina transformación, Stig rodea con sus brazos el fino y alto cuerpo de su compañera de tablas, sabiendo —ambos lo saben— que no será posible la culminación de esa ansiedad compartida, repitiendo su apasionado amor que nada ha podido ensombrecer.

—¡Te amo, Stig! ¡Sé que dentro de poco serás mío, y eso me basta para ser dichosa!

Stig admira su espigado cuerpo, sus túrgidos senos, aunque le parece que sus piernas son muy delgadas para su sensualidad. ¿La ama o solamente la desea? Todo ello le sume en la confusión. No solo siguen sin aflorar los sentimientos, sino que ahora también le es indiferente el sexo del candidato. Stig duda profundamente del tratamiento al que está siendo sometido; se trataba de potenciar los sentimientos y amortiguar lo carnal. Esa sensación de carnalidad en la que el cuerpo se ha convertido en el centro de lo que para otros, a lo largo de los siglos, era el alma. Anhela el momento en que podrá hacer suyo cualquier cuerpo. En dos meses, le pronosticó Andreas Moberg, estaría en condiciones de llevar a cabo su primera experiencia sexual. Al enterarse, Linn lo mira emocionada:

—¡La nueva década te traerá algo nuevo, Stig... nos lo traerá a los dos!

Un augurio semejante formularía el pastor Jansson días después mientras Stig cenaba también junto con Alwa y Lars en el Zum Franziskaner. Mientras degusta un plato de salmón a la plancha enriquecido con fosfolípidos inteligentes, el pastor le expresa el entusiasmo que experimentó durante unos ensayos de *Vuelve a Kiruna*. Stig lo miró turbado y terminó confesándole su insólita reacción ante su compañera de reparto Selma Ohlsson.

—Siempre admiré a los conejillos de Indias, esos que sirven para hacer progresar la ciencia pero jamás pude entenderlo tan claramente como ahora en que me he convertido en el conejillo principal.

Alwa lo miró sonriendo.

—Todo está planeado hacia un fin preciso —comentó Lars.

—¿Es posible? —Lars lo miraba estupefacto—. ¿Pero sientes algo? ¿Notas que te enamoras, Stig? —le dice conmovido—. Bueno, ¡tenemos que celebrarlo!, ¿no te parece? ¡Juntos los cuatro en lo más alto de Estocolmo, el Kosmopolit! Supongo que no ignoras que se inaugurará esa inolvidable noche.

—¿Has dicho en el Kosmopolit? —Stig lo miró sorprendido—. Vilhem Grahn me contó que para conseguir una mesa había que apuntarse con meses de anticipación...

—Es cierto, pero ya ves, un amigo ingeniero me consiguió una para mí... ¡Alwa se alegró al saber que la compartiríamos!

Stig notaba que el tratamiento para recuperar sentimientos —si acaso alguna vez los había tenido— estaba fallando de manera estruendosa y tan solo derivaba hacía una sexualidad aún más carnal: se estaba tornando en un verdadero depredador. Quizás la diferencia actual era que ya no le importaba el sexo de la otra persona. Cualquiera parecía valer. Todo parecía fallar. Volvió la mirada a los ocupantes de una mesa vecina. Totalmente borracho, un tipo yacía tumbado sobre el hombro de su amiga, entonando *Martes azul*...

Cual desaparecidas imágenes de otras épocas, tres vistosos *rickshaws*[96] discurren por las abigarradas calles y *hutungs*[97] de Kowloon y se detienen en la bullente Aberdeen Bay en medio de una ligera llovizna. Boteros de ambos sexos, viejos chinos y mujeres de todas las edades rodean a los recién llegados, ofreciéndoles conducirlos a alguno de los restoranes flotantes.

—Por supuesto, esperaremos el sampán del Tai Pak —aconseja Helvi—; debe de estar al llegar.

No tarda, en efecto, en aparecer en medio de la bruma con sus vistosos colores, oro y rojo, y el escudo del establecimiento. Barry y su grupo se acomodan en la pintoresca embarcación. Con su uniforme de seda escarlata, el botero guía cambia algunas palabras con los recién llegados, mientras dos remeros empuñan las largas espadillas.

—Mi nombre es Sueh Wei —dice—. Os doy la bienvenida. El Tai Pak, en el que pronto estaréis cenando, es una réplica del antiguo del mismo nombre, consumido por un incendio hace años. Su actual dueño, os espera en la cubierta.

---

[96] Vehículo ligero de dos o tres ruedas que se desplaza por tracción humana, bien a pie, pedales o mediante un pequeño motor. Muy popular en países como China, Japón o India.

[97] Callejones chinos con casas de un piso.

La garúa ha amainado y es posible ver el iluminado recinto, los velones encendidos en los candelabros surgiendo a través de los cristales. Al atracar la embarcación en el lado de estribor, un hombre achaparrado, de salientes pómulos, aguarda en el puente junto a la escalera alfombrada y los acompaña luego a las respectivas mesas.

—¡Creo que ha sido una apuesta bien ganada, querida! —comenta Vincent Mac Lain, volviéndose a la finlandesa.

—No sé cómo serán los demás —interviene Paul—; pero este sitio me parece muy atractivo. Es una lástima que Griffin haya arrastrado a los demás a un lugar menos exótico que este.

—Bill trató de convencerlo de unirse a nosotros —informa Vincent—, pero fue Florence la que terminó por hacerlo desistir.

El dueño del restaurante se acerca y ofrece a cada uno de ellos un gigantesco menú de áurea portada en tres idiomas, donde se despliega la mareante lista de veinticuatro platos chinos y coreanos.

—Os dejo a la gentil O Jo Ock que os atenderá —dice, señalando a una muchacha menuda con atuendo oriental.

—Me parece razonable encargar a nuestras amigas la elección de los platos —propone el pianista.

—Es una idea acertada, Paul —apoya Vincent Mac Lain—. En Los Ángeles solíamos ir a uno que nos gustaba mucho, en Sunset Boulevard. ¿Recuerdas, Barry?

—Hacían muy buena comida china; creo que era el Ah Fong's. Preparan un excelente pato con arroz.

Janet propone pedir media docena de guisos que serán compartidos entre todos y, ante el acuerdo de los demás, los pide. Mientras, Helvi y Belkiss comentan la emoción de los espectadores en la última actuación de Barry en el Mandarin Room del Miramar, no ignorando muchos de ellos que solo verán al cantante en esa ocasión y luego volverán a escucharlo a través de las grabaciones que sobrevivirán a su destino.

—¡Obviamente, estáis invitadas a mi último recital en el Ko Shing! —recuerda Barry.

—¡Iremos, Barry! —asegura Belkiss Jóla.

—¿Y tú también? —El cantante se inclina a su adolescente amante.

—Sí, por supuesto, Barry. ¡Te amo, pero tengo miedo! ¡Es una de tus últimas noches en Hong Kong! ¡Rezaré para que vuelvas! ¡Iré a Macao y pediré a Belkiss que me acompañe a ese templo, la diosa de la misericordia, no recuerdo su nombre!

—Kun Yang-Tong —Belkiss la mira enternecida.

—Sí, ¡iré contigo, Belkiss, allí donde escuchaste su voz, y le pediré a esa diosa el regreso de Barry!

—¿Qué haréis después de Hong Kong? —pregunta Helvi tras un sombrío silencio.

Vincent explica que harán algunas presentaciones en Tokio y en dos capitales europeas, para regresar seguidamente a Los Ángeles.

—¡Os escribiremos! —promete Paul Mills.

Su amante lo mira con una expresión súbitamente endurecida.

—Hasta ahora ni siquiera sabes mis apellidos, Paul. Tampoco mi dirección digital, fuera de esa tienda.

—Temo que tienes razón —se disculpa el pianista—. ¡Por supuesto que me proponía pedir tu dirección y darte la mía como seguramente lo harán Barry y Vincent con sus amigas!

—No te hagas ilusiones, Belkiss —le advierte la finlandesa—. Estos tres personajes serán tragados por el silencio al cabo de no muchas horas.

Apoyada en el hombro de su primer hombre, Sidchalean se echa a llorar. Barry trata de calmarla, vaciando algunas palabras en su oído; a este esfuerzo se unen Janet y Helvi, pero todo esto no hace otra cosa que exacerbar la congoja de la tailandesa, en el momento en que la orquesta inicia una antigua melodía china. La mirada del cantante se detiene en una muchacha de aspecto oriental que ocupa una mesa lejana y, volviéndose a Janet, pregunta:

—Dime, esa chica que está allí con un kimono rojo y negro, ¿no es la misma que estaba en La Cima cuando presenciamos el suicidio?

La aludida se vuelve en la dirección indicada.

—¡Sí que es, Barry! Era ella la que traducía a los demás lo que informaba la amiga del suicida. ¿La recuerdas, Sidchalean?

—Sí, y creo que también se encontraba allí ese joven que está con ella.

—¿Sabes, Vincent? —comenta Barry—. Hazme el favor de invitarlos a tomar una copa. ¿Aprobáis todos la idea?

—¡Me parece divertido! —exclama Helvi Kylliäinen—. ¿Verdad, Paul?

—Creo que es una bufonada de Barry, pero en fin, ¡no tenemos más remedio que adherirnos a esa ocurrencia!

Vincent vacila antes de ponerse de pie, farfullando algo incomprensible. Lo ven avanzar a trompicones, malhumorado, en dirección a esa mesa, hasta detenerse delante de los tres desconocidos. La joven de rasgos orientales cambia una mirada con su amiga y luego con quien está sentado entre ambas. Vincent dialoga con ese último y poco más tarde el agente teatral se aparta y regresa con pasos inseguros.

—Temo que ha rechazado tu invitación, Barry —vaticina Janet observando la expresión de Vincent, que vuelve a ocupar su asiento.

—¿Se han negado, verdad? —inquiere el cantante.

—No, la han invertido, Barry: ¡son ellos los que nos invitan a beber una copa! Están celebrando la despedida del joven que está sentado con ellas, que dejará mañana Hong Kong. Fue él quien sugirió que fuésemos sus invitados. —Una sofocada risa escapa de la garganta de Janet May.

—¡Me parece estupendo!—exclama Helvi—. ¡Supongo que a ti también, Belkiss!

Esta y los demás se adhieren, de buenas o malas ganas, a su entusiasmo; y poco después Barry Fletcher cancela generosamente la cuenta, se pone de pie y, seguido por los demás, encamina sus pasos en dirección a la mesa donde de anfitrión se convertirá en inesperado huésped...

equeño y abrumado monarca entre el cielo y el mar, desplazándose a través del espacio y sobre el Pacífico a una velocidad aparentemente invisible, Damián contempla las hinchadas nubes que discurren más veloces que la nave aérea en la que se encuentra, que avanza en dirección oeste. Reclinado en el asiento que moldea su cuerpo, vuelve a ver el helibús del Akahanga aterrizando en la plataforma de Mataveri siete días atrás...

Al detener el *taxiscooter* en la casa de los Paoa en Hangaroa-O-Tai, Damián ve un pañuelo rojo atado a la cabeza; al volante del *jeep* de los Paté, Tiara y su padre lo saludan con un brazo en alto.

—Anastasio pensó acompañarnos, pero no le fue posible —dice Timoteo—. Dejó su *jeep* a nuestra disposición.

Tiara pone en marcha el vehículo y lo enfila en dirección sur. Sentado entre ambos, su padre informa que antes de Orongo se detendrán en las cuevas de Anakai-Tangat. A la altura de Mataveri O-Tai, bajan por la pendiente que desemboca en esa extraña *karaba*[98] desgastada milenariamente por el oleaje y en cuyas paredes, desvaídos por el tiempo, resaltan lechosos trazos de pintura.

---

[98] Gruta, cueva.

—A veces duermen aquí algunos turistas pobres —explica Timoteo.

—Con Alain visitamos una cueva parecida, cerca del Rano Raraku[99] —recuerda Damián.

—Se trata probablemente de la de Ana Tuhata, en los acantilados de Hanganui; un supuesto lugar de canibalismo —le informa Timoteo.

Al llegar a las inmediaciones del Rano Raraku, Tiara señala la profunda vertiente, un panorama que aparece arrancado de la prehistoria: espejos de agua y zonas de vegetación. Timoteo explica la variedad de especies vegetales allí reunidas desde tiempos remotos: mahute, cañaverales, *ti* y *boru-hu*[100], sin olvidar el toromiro[101], que hasta veinte años antes estaba prácticamente extinguido.

—Los ingenieros forestales lograron revivir el último toromiro que quedaba, justamente aquí en el Rano Raraku. Ahora crecen en varias partes de la isla. Con su madera rojiza se tallan los mejores moái y tablillas parlantes.

—¿Te atreves a bajar? —pregunta Tiara.

La mirada del isleño desciende a las profundidades del barranco, y no tardará en sentir la mano de la joven precediéndolo, asombrosamente ágil, por la escarpada vertiente. Mientras, trescientos metros más arriba, Timoteo los observa, diminutos en el despeñadero. Ya abajo, Tiara va explicando los detalles de cada árbol o arbusto que los rodea y le previene de que no se deje engañar por la mansedumbre de los espejos de

---

[99] Cráter volcánico formado a partir de ceniza consolidada ubicado en la isla de Pascua.

[100] Todas ellas especies vegetales autóctonas.

[101] El toromiro es una especie arbórea endémica de la isla de Pascua, ahora extinta en su medio natural.

agua: son de una profundidad traicionera, aunque se trate de agua acumulada por las lluvias.

—El año pasado se ahogó una pareja de daneses. Yo presencié como los halaban al día siguiente con unas sirgas. Fue justamente en ese —señala—: el Mata-ki-te-rangi o «los ojos que miran al cielo».

Más riesgosa que el descenso, la subida obliga a Damián a asirse a la mano de su guía. Con un brazo en alto, pequeño como un niño que va aumentando de estatura, el padre de la joven pascuense los saluda desde el borde del cráter y, cuando ambos excursionistas aparecen finalmente asomados a él, comenta:

—¡Hay que estar en forma para hacer esto! Yo realizaba esa proeza, pero ya no me atrevo.

El *jeep* avanza hasta la vieja aldea de Orongo. Sobre el mar, una sinfonía azul y espumas sobresalen los tres islotes de la realidad y de la leyenda: el Motu Kao[102], pirámide carcomida por el tiempo y en la parte más próxima a la isla; seguidamente el Motu Iti y, más distante, el Motu Nui, lugar este último de la ceremonia del Manutara[103], cuya descripción comienza a escuchar Damián de padre e hija. Sobrecogido por la angustia, Damián solo percibe el rumor de esas palabras, la atención concentrada en el oleaje que se estrella contra los milenarios islotes. ¿No fue en torno a ellos donde se hundió el cuerpo de Alain? La voz parece temblarle cuando, volviéndose a Tiara, formula la pregunta; pero es su padre quien responde.

---

[102] Islote Motu Kao Kao, o islote Kao Kao, es el menor de los tres islotes deshabitados que conforman el lugar más occidental de Chile, ubicados al sur de la isla de Pascua.

[103] Ave al que rendían culto los antiguos habitantes de Rapa Nui durante la ceremonia del Tangata Manu.

—Sí, fue al sur del Motu Nui —confirma.

Y al isleño le parece oír de nuevo la voz de su amiga, y la distingue luego en la oscuridad de la noche, en Hanga Tuu Hata, en aquel *púhi*[104] primero y en el *entorchao*[105] más tarde, organizados ambos por el hotel Akahanga, días después de arribar a la isla...

Aferrado a su *blacklight*, capta aquella faena de los hombres, entre los cuales se destaca uno de esmirriada figura que se introduce en el roquerío a atrapar los crustáceos con las manos. Ognian Tzonchev, un pasajero del hotel a quien conocieran el día de su llegada, comenta:

—Ese tipo es ágil como una ardilla; lo vimos el otro día en otro espectáculo como este.

—Aunque ya lo conocimos, nos fascina cada vez —comenta su esposa, Vana. Señalando a una isleña que aviva el fogón de un *tunuahe*, agrega—: Esa es su mujer; una tarde nos invitó a su casa. Espera su primer hijo.

Los protagonistas del *púhi*, tres en total, llevan puesto solo un taparrabos. El más ágil, un tipo renqueante de canija figura, se introduce en las rocas premunido, como los otros, de toscos sacos de lienzo en cuyo interior hay una cabeza machacada de atún; el olor atrae a peces y langostas que agarrarán luego los hombres, levantándolas en alto, como un trofeo. Lo mismo hacen, ya anochecido, esta vez atrayendo a los crustáceos con el resplandor de las antorchas que sostienen con una mano, atrapando con la otra su cosecha marina ante la creciente animación de los espectadores. Entre ellos se encuentra una pareja ya conocida para Alain y Damián, con la que habían compartido unos aperitivos en el bar del Akahanga.

---

[104] Pesca nocturna.

[105] Pesca nocturna con antorchas.

Alto, el pelo y la barba rojizos, los pómulos prominentes, el neozelandés Travis Parun saluda a Alain y a los demás, y también lo hace su inesperable amiga, que apenas le llega al hombro. El pelo negro de la joven boliviana enmarca unas facciones infantiles.

—En Nueva Zelanda solía pescar con mi padre en el lago Waikare —comenta Travis—, pero nunca imaginé que pudiera hacerse de la forma en que estamos presenciando —vuelve la cabeza en dirección a Damián—. Bueno, ¡tú tampoco lo hacías mal en tu isla! Algo así nos relataste la otra noche…

—Damián pescaba con redes y jaulas de madera —se adelanta a explicar Alain, ajustando la grabadora al trípode.

—¿Hacéis en Bolivia ceremonias como estas? —inquiere Ognian Tzonchev.

Turbada, la joven del altiplano vuelve la cabeza hacia el búlgaro.

—¡Mi país carece de mar! Pero hay, sin embargo, muchos pescadores en el lago Titicaca, el noroeste de La Paz —dice sonriendo tímidamente.

—Es un lago bastante extenso, unos ocho mil kilómetros, si no me equivoco —interviene Travis Parun rodeándola con su brazo—. Fue allí donde conocí a Mariela. ¡Y lo cruzamos de un lado a otro en una balsa de papiro!

—También conocí ese lago —dice Abdel Hamid, paladeando su pisco *sour*—. En Egipto todavía surcan el Nilo embarcaciones de papiro como las del Titicaca.

—Bueno, las relaciones arqueológicas y antropomórficas entre estas islas con el Oriente parecen ya innegables —opina Vana Tzonchev—. Sobre todo después de contemplar esa tablilla del museo. Ognian, mi esposo, que es muy pragmático, se resiste a aceptar que existiera un poder telequinético para desplazar esos moáis.

Cual cogido en falta, el ingeniero búlgaro sonríe.

—Bueno, la verdad es que uno tiene la mente estructurada para la lógica y le cuesta admitir ese tipo de hechos. Es posible que haya existido, como dice la tablilla, pero he estado mirando con detención esos lugares y en el Rano Raraku, por ejemplo, en la escotadura de Pumakari, observé huellas de cabrestantes y poleas o algo así, lo que explicaría que esos desplazamientos se realizaran mecánicamente. No es fácil mover moles de veinticuatro a sesenta toneladas de un extremo a otro de la isla.

Las mujeres pascuenses comienzan a repartir los primeros platos de *po'e*[106] mientras el vino y el pisco *sour* se vacían prodigiosamente en los vasos que ostentan el emblema del hotel Akahanga. «¡Salud!», se oye aquí y allá en varios idiomas y las gargantas reciben con avidez el *huari* que hará todavía más apetitosa la fiesta culinaria, de vernáculo colorido, que la cámara de Alain eterniza valiéndose del resplandor de las antorchas y del que surge de los agujeros donde se doran las carnes y el pescado.

—¡*Manuía*! —dice Alain finalmente, separándose de su cámara. Volviéndose luego a Travis Parun, le pregunta—: ¿Os quedaréis algún tiempo en Rapa Nui?

—Unas dos semanas. Esta isla nos ha subyugado. Después volaremos a Auckland, en dirigible.

—¿Juntos?

—Nos conocimos en Bolivia; seguiremos juntos a todas partes.

---

[106] Preparación culinaria típica de la Polinesia, a base de almidón de tubérculo, compota y leche de coco.

—¡Salud por ambos! —dice Alain, entrechocando su vaso con el de ellos. Los demás lo imitan, repitiendo el brindis, mientras los antorcheros comienzan a apagar las teas empapadas en alguna sustancia inflamable.

Vestidos con sus trajes de totora, tocadas las cabezas con típicos adornos —*ha'u uae ro* y *ha'u kara kura*—, bailarines de ambos sexos comienzan a entonar el *Toe toe*[107] al compás de las guitarras y del *caguay*:

Toe toe na te moana;

Te maru te maru;

A tirá no a turaia…[108]

—¿Entiendes algo? —pregunta Alain a Travis Parun, y una risa estalla en el neozelandés y los acompañantes.

Timoteo trata de explicarle las tradiciones de Orongo:

—Siglos atrás, Orongo era una aldea donde se realizaban las ceremonias para investir a los *tangata manu* u hombres pájaro. Una vez triunfadores, se les coronaba *ariki*[109] por un año.

—Por ese lugar bajaban hasta llegar al Motu Nui. —Tiara señala la escotadura del Rano Kau, visible desde ese punto—. El que agarraba el primer huevo del ave *manu tara* era el triunfador u *hopu manu*[110].

---

[107] Frío.

[108] «Frío, frío está el mar. Pero está en calma, en calma; nada importa si estás a mi lado…».

[109] Nobles.

[110] El ritual era una competencia para recoger el primer huevo de la temporada del ave *manu tara* (*Sterna fuscata*). El *hopu manu* que tomara el primer huevo se

La nave sigue navegando silenciosamente hacia el oeste como si volase en pos del sol.

—Me llamo Akiko Kayama —la azafata se inclina al isleño extendiéndole una bandeja con té y pastelillos—. Espero que hayas descansado; hace un rato vine y dormías.

Damián la mira confuso. ¿Cuántas horas de vuelo han transcurrido? La imagen de Tiara retoma la vertiente de sus pensamientos...

La ve conduciendo el *jeep*, de regreso a Orongo, con Timoteo a su lado. Un avión eléctrico solar de la US Overseas surge susurrante en el espacio y poco después aterriza. Un tipo achaparrado esgrime los banderines para guiar la portentosa nave.

—Ese es Nicolás Hgy —señala Timoteo Paoa—. Es el padre de Vilma, a quien conoces.

—Era la amiga de Yigal Amu. —Se vuelve a Tiara—. ¿Lo recuerdas? Ese israelí que vimos con Alain en el grupo turístico de Vinapú.

¿Cuántos días o siglos transcurrieron desde que durmiera sobre aquel moái de piedra, aspirando a contagiarse con su eternidad?

Alain reaparece en los ya lejanos recuerdos de Damián mientras se adormece en su confortable sillón de la aeronave, siete semanas atrás, dos días después de llegar desde Robinson Crusoe. La escena en la que varios tipos beben en el bar del

---

apresuraba a nadar de regreso a la isla de Pascua, subiendo los acantilados del Rano Kau hasta el centro ceremonial de Orongo y presentaba el huevo a los jueces. Esto le daba a su patrocinador el título de *tangata manu* y gran poder en la isla durante un año. Muchos *hopu manu* murieron por tiburones o por caídas. El clan ganador tenía ciertos derechos, incluyendo la recogida de los huevos y de las aves jóvenes de los islotes.

Akahanga parece que hubiese ocurrido hace nada mientras que de los altavoces escapa, amortiguada por el bullicio, *vai e... var uri*[111]. Alain dialoga en francés con una pareja que no tarda en presentar a Damián: Ognian Tzonchev y su esposa Vana.

—¡También ellos van dando saltos geográficos! —informa—. Son de Bulgaria. Como ves, vienen de más lejos que tú.

Intercambian saludos y brindis, que pronto se harán extensivos a una pareja que se aproxima, dos hombres que se expresan en un idioma extraño. Ognian Tzonchev los presenta:

—El señor Zeid Abdel Hamid —lo señala—. Con él compartimos varias excursiones. Lo acompaña su amigo.

—El amigo —completa el aludido— es un israelí. Nos entendemos en árabe y hemos intimado en poco tiempo.

El judío, alto y atractivo como Alain, estrecha la mano de los demás.

—Mi nombre es Yigal Amu —se presenta. Ante una pregunta de la pareja búlgara revela que imparte clases de arqueología en Jerusalén—. Mi padre murió hace dos meses —agrega, aceptando el *whisky* que le tiende Ognian Tzonchev— y mi madre se empeñó en que viajáramos: cree que cuanto más lejos de Israel me encuentre, más le costará a la peste alcanzarme. Bueno, la verdad es que yo tenía ganas de conocer esta isla. Me apasionan sus monumentos megalíticos.

Damián tiene la impresión de haberlo visto, ¿dónde, fuera de Juan Fernández? Y Yigal asegura que nunca estuvo en la isla, aunque le gustaría visitarla: «Iré, a lo mejor, si no muero antes de partir», había dicho de forma profética.

---

[111] Agua... agua oscura.

Alain entrechoca con él su vaso y le pregunta si su madre se encuentra en el Akahanga.

—¡Sí, está allí! En estos momentos debe estar en su habitación, enviando un videomensaje a nuestra familia. Yo salí de la mía sigilosamente sin que se enterara.

—Ciertamente, querido Yigal —dice Abdel Hamid, rodeándolo con sus cortos brazos—, trataremos de aprovechar de la mejor forma posible esos momentos que tu madre te deja libre o que tú le escamoteas... —Y ríe de forma contagiosa. Achispado ya, señala a una chica que se aproxima—. Veo a alguien que aprendió a consolarlo. Aquí vienen en su busca.

Una joven se sienta junto a Yigal, quien la presenta a sus acompañantes:

—Esta es Vilma Hgy. Supongo que la habréis visto en el Akahanga.

—Puedo asegurarlo —exclama Ognian Tzonchev—. Mi esposa es testigo de que hacia ella convergen las miradas de los hombres en el comedor, yo incluido.

—¡Puedo dar fe de lo que acaba de decir mi esposo! —ríe Vana ruborizada, y pregunta a la agraciada nativa si habla inglés o español.

—Hablo ambos idiomas además del mío —responde Vilma, deliciosamente avergonzada, y apoya la cabeza en el hombro de su amante.

—Además de esos idiomas maneja con soltura otro que no todos pueden aprender, el de la música —acota, orgulloso, Yigal—. Cuando esté animada por el *whisky*, os hará prodigios con la guitarra.

Los recuerdos en semivigilia acunados por el ronroneo de los motores del avión se entremezclan con lo recién vivido en una confusión que le obliga a recordar la muerte de Yigal víctima de la peste azul.

—Nicolás Hgy me contó que Vilma quiso suicidarse cuando depositaron el cadáver de Yigal en el avión —recuerda Timoteo—. Se empeñó en que la llevaran con él. La madre de Yigal trató de alejarla, a gritos, del aeropuerto. Creo que fue un escándalo.

—Estaba enamorada —se conduele Tiara, mirando los vistosos contornos del avión, plata, rojo y azul, con sus 52 estrellas este último.

—¡Ya se consolará con algún nuevo turista del hotel! —comenta su padre—. A los dieciocho años no es difícil.

Vestidos con sus trajes típicos, una veintena de mujeres saludan a los pasajeros del avión con la tradicional bienvenida —¡*Ta-ora-na*!—; pero hay un leve dejo mecanizado en esos recibimientos que a Damián le hace recordar el que tuvieran con Alain semanas antes.

A pesar que ya ha pisado la pista de aterrizaje, Damián sigue inmerso un su mundo onírico recordando escenas de las últimas semanas.

—¿Qué deseáis que cante? —pregunta Vilma, mirando a Yigal.

Este menciona una canción que oyera la víspera en la taberna Vaka Poe Poe y que trata de explicar a los demás en inglés. Rodeada de los cinco nuevos amigos de su amante, Vilma acomoda la guitarra y hace brotar de ella una melodía que rápidamente entusiasma a sus escasos oyentes:

E héraru

Te íti… reree-rere-iti…

Etai tutuma kakanrago tangi é…[112]

Mientras canta, mira a unos y a otros, deteniéndose en la apuesta figura de Yigal. Achispado por los tres *whiskies* ingeridos y por el entusiasmo que genera Vilma, Alain se inclina hacia Vana y comenta en francés:

—¡Se expresa tan bien con los ojos como con la voz! Es obvio que es Yigal quien la inspira.

—Anoche nos dijo que prometió llevarla a Jerusalén, aunque su madre ponga el grito en el cielo.

—Bueno, qué más da lo que haga —apoya Zeid Abdel Hamid, que ha alcanzado a escuchar—. ¿Por qué impedirle nada a un joven hoy día? Sería criminal hacerlo.

Un trallazo de voces y aplausos premia la actuación de Vilma. Algunos turistas, ajenos al coro, se han acercado a escucharla, y el fervor vuelve a repetirse con la siguiente canción, *Ka huru hoe neru* o «Canto de las reclusas». Cuando finaliza la melodía, Yigal se acerca a su amiga y la cubre de besos en el momento en que una obesa figura se perfila en la entrada del salón.

—¡Es la madre, la señora Yaffa Narkiss! —alerta Zeid Abdel Hamid. Mirando a Alain, le dice con tono cauteloso—: ¡Ahora presenciarás una memorable escena!

No bien termina de pronunciar estas palabras, se ve a la mujer aproximarse a su hijo, diciéndole algo en su idioma,

---

[112] *E hérau.*
«¡Huye, amor! ¡Escapa de la pasión!
Tu amor suspira y llora por ti…».

y seguidamente, dirigiéndose a los demás, trata de explicar en inglés que Yigal ha cogido un enfriamiento y debería estar en cama.

—¡Ya es medianoche! —argumenta—. Vamos, Yigal, ¡sube conmigo, hazme el favor! —Y lanza una destructora mirada a la isleña que le ha impedido tener a su hijo todo el tiempo consigo.

Tiara cambia con su padre algunas palabras y a la conciencia del isleño llega su voz, una voz extrañamente distante, como si no fuera la suya... ¡Y no lo es! ¡La voz que llega a sus tímpanos es otra y otros también los labios que las pronuncian! Es una voz que viene de algunos asientos más atrás, en la nave aérea en la que Damián viaja. ¿Cómo pudo no darse cuenta en Mataveri o después de subir al dirigible? ¡No puede ser sino ella! No es posible dudarlo. Entonces, sin poder ocultar la emoción, se pone en pie y avanza por el pasillo hasta detenerse junto a la joven que levanta sus ojos asombrados.

—¡Me cuesta creer que venías en el mismo dirigible! —exclama no menos sorprendida, Mariela Aramayo, la joven boliviana pareja del ya fallecido Travis con quien había cruzado el lago Titicaca.

Damián la mira incrédulo.

—Siento mucho lo de Travis... —dice al cabo de un rato.

—Gracias, Damián. Te vi en el cementerio al lado de ese señor árabe, no recuerdo su nombre. ¡A Travis y a mí nos afectó mucho lo de Alain! Nos enteramos tarde.

—Vamos quedando solos. ¿Te diriges a Australia?

—No, a Nueva Zelanda. Poco antes de morir, Travis me dijo que le gustaría que conociera a sus padres.

—¿Y qué piensas hacer en Auckland?

—¡No lo sé! Ver a sus padres y regresar… ¿Qué puede hacer una mujer sola en un mundo como este? Volveré a Santa Cruz, mi pueblo. Soy maestra de escuela, no sé para qué. Todo me parece inútil y vacío. Llevo las pertenencias de Travis a sus padres.

—Yo haré lo mismo con las de Alain. Las entregaré a su novia de París. —Se queda mirándola con aire confuso—. ¿Pudiste comunicar a los padres de Travis la muerte de su hijo?

—Murió de repente, no hubo tiempo. En Arequipa me dijo, no sé si en broma o en serio, que si la peste lo sorprendía en este viaje no lo llevase a su tierra. Me acordé de eso y decidí que lo enterraran en la isla. Sus padres decidirán si repatrían sus restos. ¿También lo hiciste con Alain?

—Me pidió que lo sepultara en el mar. Creo que puedes saberlo. Tampoco quiso regresar muerto.

—¿A quién dijiste que tenía en Francia?

—A su madre y a su novia. No será fácil enfrentarse a eso.

El sobrecargo se aproxima y les extiende el menú del almuerzo.

—¿Dejaste a tu amiga en la isla? —inquiere Mariela.

Damián la mira turbado y, temeroso, rememora esa mañana de hace cuatro días cuando la viera aparecer en el hotel, al día siguiente de haber recorrido Orongo y el Ranu Kau…

Con sus ajustados pantalones, como la víspera, Tiara señala una lancha amarrada al embarcadero.

—Mira, he venido en ella —dice—. Bueno, la verdad es que Anastasio necesitaba su *jeep* y decidí venir en la lancha.

Papá iba a acompañarme, pero no pudo. La dejaré aquí hasta el regreso.

Hay aún varios escúteres disponibles. Bordeando el mar por la nueva carretera que circunda la isla y la atraviesa en tres direcciones, Tiara conduce el vehículo hacia el norte. Un tropel de caballos atraviesa en dirección a Vaitea dibujando un espectacular mosaico de luces y sombras.

—Esa toma no la habría perdido Alain —comenta el isleño, pensativo—. ¿Te gusta montar?

—Lo hago desde niña. A veces en pelo.

—¿Sin montura? —Damián la mira con curiosidad.

—Es duro, pero me agrada. Una parece formar parte del animal, como los centauros. ¡Una centauro del siglo XXI! Desde que murió tío Lari comencé a tener miedo a la vida. ¡Antes parecía todo tan hermoso! Yo sé que esta epidemia tendrá que terminar y que el misterio de todo esto debe estar en alguna parte. Quizás lo sepan nuestros moáis o esté escrito en algún *kohou rongo rongo* en esta isla o en otra o en el fondo del mar, en Hiva, en Mu o en Egipto…

—Alain pensaba como tú.

—Acario Maka Aki, el que fuera nuestro alcalde hasta 2031, cree que pronto aparecerá una nave de fuego con la respuesta y la salvación.

Tiara enfila el vehículo hacia el este, a corta distancia de los acantilados, y señala una oquedad rocosa:

—¿Esta es la cueva dónde estuviste con Alain? —Y al verlo asentir añade—: Es la de Ana Tuhata, como pensó papá. Sirvió de albergue a muchos turistas pobres. Aquí suelen dormir en verano. Dicen que era una cueva de canibalismo, pero no estoy segura; en cambio sí lo era otra que está más lejos, la de Ana-kai-tangata[113]… Algunas se descubrieron después del cataclismo del 2028, sobre todo cerca de nuestra casa, en la zona de Roiho; hay otras que te mostraré, como la de Ana-O-Teika.

Al reanudar el viaje, Tiara dice señalando al Poike:

—Es el segundo lugar más alto de la isla. Junto al volcán Takiti se halla la caverna de las vírgenes. —Y relata su leyenda con cautivante naturalidad. Damián pregunta por qué mantenían allí a las doncellas tanto tiempo—. Servía para que, resguardadas del sol, mantuvieran la piel blanca. Así las preferían los *arikis*. También había otras para los mancebos.

Poco después, lo precede por los faldeos del Poike hasta detenerse en una anfractuosidad del terreno cubierto de *toroko*[114]. Era, le informa, el lugar donde se entabló la lucha final por la supremacía de la isla entre los *hanau eepe* u «orejas largas» y los *hanau momoko* u «orejas cortas». Vencedores estos últimos, destruyeron gran parte de las esculturas levantadas por los vencidos.

Felina, olvidada al parecer de la desolación del mundo, Tiara sigue explicando, con inesperados detalles, la tradición y la leyenda. Hay una mezcla inocente de sensualidad en sus actitudes y palabras. Y a Damián le costará olvidar el candor que desplegara minutos antes, al detenerse ante el Puo hiro, la piedra perforada, cerca de Maunga Puko pui. Lleno de curiosidad, observa cómo Tiara hace arrancar sonidos de ánfora aplicando las palmas de las manos en los orificios, combinando unos y otros, tal como solían hacerlo sus antepasados para desencadenar una sinfonía primitiva. Y ese mismo encanto se

---

[113] Cueva marina en la isla de Pascua que contiene arte rupestre en su techo interior. Está localizada cerca de Mataveri. La cueva se abre directamente al oleaje entrante.

[114] Planta gramínea que sirve como forraje.

repetirá más tarde en Bahía La Pérouse, con sus milenarias *tupas*, primitivos silos engastados sobre la tierra, a escasa distancia del mar; y seguidamente, entre esta y Ovahe, ante la piedra redonda rebosante de magnetismo que simboliza el centro del mundo y a la que los turistas prevenidos acercan una brújula para deleitarse observando cómo se vuelve loca en su cercanía. Simboliza «su isla», el ombligo de la Tierra, la *te pito te henúa*, que Damián intenta inútilmente mover. ¿Cuántos kilos pesa? Cien, doscientos o más. El centro del mundo... El ombligo del mundo. Y él está ahora en el centro del universo, solo con Tiara, enfermo de angustia, de incertidumbre y de una sed tan antigua como esa piedra, sediento junto a esa fuente de agua tan próxima a su piel, un líquido virginal, refrescante o ardiente, que podría calmarlo. (¿He estado ciego o maldito? Ya sé por qué Alain me miraba incrédulo. Debían meterme en una de esas cavernas de las vírgenes o de los mancebos. Conservo, a pocos centímetros de la muerte y en pleno siglo *XXI, una castidad que a veces me parece un lastre o un estigma*).

Diamante de luz y de fuego, Ovahe parece engastada en la casi impalpable arena blanca. Una pareja nórdica, rubios ambos, yacen tendidos, semidesnudos, cerca de las olas. Apenas se preocupan al ver aparecer a Tiara y a su acompañante.

—Hasta antes del cataclismo del 2028 se les veía sin ninguna ropa, aquí y en Anakena, pero Acario Maka Aki, el alcalde de entonces, lo prohibió; el actual, Joaquín Rapu, ha mantenido esa disposición.

—«Anakena» es una linda palabra.

—Anakena significa «agosto». Fue en ese mes cuando llegó Hotu Matu'a a la isla por primera vez.

Tiara Paoa estalla en fragmentos de luz en el ramaje de las reflexiones de Damián. Conduce ahora el escúter en dirección a Anakena, la playa de agosto, junto a un pequeño bosque de palmeras.

—Fueron traídas desde Tahití hace más de ochenta años —dice Tiara—. Se plantaron en toda la isla, pero solamente prosperaron en Anakena.

Solos o rodeados de mujeres, algunos sobrevivientes yacen tendidos en la playa; otros contemplan o eternizan con un grabador aéreo aquel moái enclavado en lo alto de un *ahu*. Tiara le informa que muchos de los que el Rano Aroi hiciera aflorar a la superficie se reimplantaron mirando al mar, a pesar de que primitivamente daban la espalda a él.

Orientan la grabadora hacia otros lugares por los que incursionan: Hanga Oteo, Una, Hanga Omohi; esta últimas cerca del hospital Horanúi donde falleciera Alain.

—Estabas pensando en él, ¿verdad? —pregunta Tiara—. No creas que porque no lo menciono no tengo su recuerdo dentro de mí. Trato de disimular mi tristeza. —Se desprende de sus ropas y surge aprisionada en su bañador blanco que hace resaltar sus pechos casi recién estrenados. Damián la contempla sobrecogido—. ¿Trajiste tu bañador?

—Tuve que comprar uno en el hotel.

—¡Póntelo!

Después de hacerlo, bajan a la orilla; la resaca lame las blancas arenas, de rosadas tonalidades en algunos sectores. Siente la mano de Tiara que lo conduce a la playa de Hanga Omohi, en el extremo noroeste de la isla, inaccesible hasta hace pocos años.

—A excepción de Anakena, todo esto era solitario cuando yo era niña.

—¿Eras? Eres una niña. ¿Sabes? Cuando te oigo hablar en pascuense es como si estuviera en otro país.

—Si te quedaras, te enseñaría… Ya me has dicho que tu amistad con Alain te sirvió para practicar su idioma.

—Aprendí algo en el colegio, al igual que el inglés, pero yendo de un lado a otro con turistas me sirvió para perfeccionarlo.

—¿En verdad te gustaría aprender pascuense?

—Sí, tenlo por seguro. ¿Cómo se dice… «corazón»?

—«*Mahatu*».

—¿Y tu apellido, qué significa?

—El clan Paoa se encargaba de vigilar el orden de la isla, como los policías. Usaban bastones o *paoa*.

—¿Qué harás en Tahití? —pregunta Mariela Aramayo.

—No lo sé. Cumpliré la petición de Alain. Después de eso, no sé.

—Estás desorientado, como yo. Mi hermano falleció en Cochabamba. Duró seis semanas; intentó suicidarse antes de morir.

«Se parece a Tiara —piensa Damián—; tal vez los labios de Mariela son más abultados y su pelo más negro». Y la ve corriendo por la arena de Unai, y luego montada en el escúter por Hanga Omohi...

Atraviesa delante del hospital Horanúi, como escapando de su proximidad, y cruza diagonalmente en dirección sur.

—Quiero mostrarte el Rano Aroi, el lugar donde Make-Make volvió a revivir en la noche del 26 de agosto.

Detiene el vehículo en Maunga-ter-vaka y asciende por la ladera norte del volcán que once años atrás estremeciera a la isla y al mundo.

—Corrió lava por todo Rapa Nui y las llamas parecían llegar al cielo. El mar se salió desde Hanga Tee hasta Unai y de Orongo al Poike. Fue un pescador de Vaihu el que hizo el hallazgo. —Y señala un monolito de obsidiana y piedra laja—. ¡Esa es la golondrina de mar! ¡Mírala!

Damián contempla esa enorme figura de arcilla plantada en lo alto con una cabeza de búho simbolizando al dios isleño y ve a Tiara arrodillarse ante el *ahu* que la sostiene, pronunciando algo en su idioma. Por la vertiente opuesta al Rano Aroi ve a dos nativas que se prosternan junto a ella.

—A veces este lugar se llena de visitantes. Fue aquí en el Rano Aroi donde apareció ese *kohou rongo rongo* que viste con Alain en el museo.

—Nos impresionó mucho.

—Esa tablilla menciona lo que ocurrirá más tarde. Se espera un nuevo cataclismo para el 2085, pero Dios sabe dónde estaremos entonces.

El dirigible firma con el vapor de sus generadores de hidrógeno las nubes que va atravesando. Quizás el bamboleo provocado por los fuertes vientos de Pacífico hace que Damián adquiera cierta palidez.

—¿No te sientes bien? —Mariela Aramayo lo mira preocupada. Damián tiene aspecto sofocado. La auxiliar de vuelo se aproxima y pregunta si necesita algo.

—He sentido vértigo —intenta explicar el isleño. Gotas de sudor puntean sus sienes. Un auxiliar reaparece con una botella.

—Toma, esto te hará bien. Se llama *giró gin*.

Las ideas se tornan aladas después que Damián lo bebe, una suave laxitud expandiéndose por su sangre. (¿Qué hago en este dirigible junto a esta boliviana? Su cuerpo estuvo acariciado por un muerto. Va en busca de no sabe qué, impulsada por la ilusión *de que acercándose a Nueva Zelanda recuperará a Travis Parun, pero eso no es más que un espejismo; tal vez estemos todos en la vida atrapados por uno*).

—¿Te sientes mejor? —interroga Mariela—. Falta poco para que lleguemos a Tahití.

—¿Bajarás?

—Como pasajera de tránsito. No tengo ánimo para detenerme en ninguna parte.

Sufriendo los mareos y potenciado por el *giró gin* Damián sigue evocando imágenes que le parecen casi reales.

—¡Esos son los moái del *ahu* Akivi o de Atío! —Señala Tiara, disminuyendo la velocidad del escúter—. ¿Quieres que te grabe junto a ellos? Lo hacen así y después operan la máquina mediante el control remoto que los eterniza. Harán lo mismo entre los inesperados follajes de Vaitea.

Junto a la costa oeste, Tiara exhibe una creciente animación, al tiempo que Damián repite las palabras que le va enseñando en el camino: *manabamáte*, amor, *ura*, langosta.

Bordeando el océano —es una diáfana mañana de zafiro—, Tiara conduce el vehículo por la ruta asfaltada. A la altura de Motu tautara[115] se interna por un sendero de tierra donde se apea, diciéndole, la mano extendida:

---

[115] Islote plano situado en la costa poniente, frente a Ana Kakenga, la cueva de las dos ventanas.

—Sígueme… —Y aprisiona sus dedos para entrar a Ana Kakenga[116], que es el nombre de esta extraña gruta—. Tendrás que poner atención a tu cabeza. ¡Se me ha olvidado traer una linterna!

Rodeada de breñales, la entrada a la cueva, en efecto, parece estar a ras de suelo. Tiara se introduce como una lagartija hasta desaparecer. Su voz suena con ecos de ánfora desde el interior: «¡Sígueme!», llama. El isleño se agacha y repta por el duro y frío suelo. Gateando, a tientas, avanza con lentitud, separado de esa voz por una distancia que no atina a calcular.

—¡No veo nada!

—¡Deslízate y no levantes la cabeza! Ya estás cerca de la luz.

—¿Qué luz?

—Ya lo sabrás. Déjate guiar por ella.

La voz de la pascuense se fragmenta en sus evocaciones y todo parece de pronto milagroso: su cuerpo recortado en la prodigiosa claridad anunciada. Es como un relámpago de luz: el mar aparece repentinamente triunfal en aquella abertura que se ve al final de uno de los recodos de la bifurcación, cual mágico atalaya asomado al océano; y, recortada contra cielo y agua, Tiara ilumina la oquedad de la gruta.

—¡Es formidable! —reconoce, y no sabe si lo ha dicho solamente por esa visión de luz e inmensidad o por la presencia de la joven, que, de rodillas en la roca, florece como esculpida en el hueco que da a los acantilados.

---

[116] Ana Kakenga es una de las cuevas más visitadas y atractivas de la isla de Pascua. Se halla a unos 4 kilómetros al norte de Ahu Tahai siguiendo por el camino que transcurre por el borde costero.

Extasiado, la mano asida a la de su acompañante, contempla el juego de las olas estrellándose en el roquerío. Tiara lo arranca finalmente de su arrobo y lo conduce a otro brazo de la roza abierta, un nuevo torreón de piedra que se abre al océano y al cielo.

—Me cuesta creer que el mundo esté muriendo —dice Damián, la vista detenida en el oleaje que se despedaza en los farallones.

—No creas que por ser mujer sufro distinto que tú. Al morir tío Lari, quise irme con él, y cuando Alain cayó con su guitarra me pareció que perdía a un hermano. —Sus ojos brillan con el resplandor de la luz que llega por esa ventana de piedra asomada al cielo y al Pacífico.

—¿No tienes novio?

—Papá me tiene uno, ¡pero no lo amo! Tú lo conoces. Es Alejo Rapahango, de la caleta de Petokura. Mis padres quieren que me case con él.

—¿Por qué lloras?

—¡No lo sé! No me gusta contrariarlos. ¡Estoy desorientada…!

Damián coge su mano, inhábil para manejar situaciones como esta. Ve cómo se escurren las lágrimas por ese rostro redondo y busca la palabra adecuada, sin lograrlo. Torpe, desmañadamente, aherrojado por una emoción nueva, se sorprende aproximando sus manos a ese rostro mojado y, atónito de sí mismo, deposita el primer beso de su vida en esa boca entreabierta y salada de lágrimas… Veloz, con una velocidad nueva, la sangre castiga las sienes y el vientre de Damián, que vuelve a besarla una y otra vez, los brazos de Tiara ceñidos a su cuerpo.

Vencida y asombrada, esta gime, con entrecortado acento:

—¡*Tau here!* ¿Eso no te lo enseñé, verdad? ¡Te amo! ¡Significa eso...! ¡No quiero que te vayas de Rapa Nui! Tengo miedo de que te marches..., que no regreses. ¡Te quiero! ¡Tal vez te quise desde mucho antes y me negaba a reconocerlo! —Su boca cae sobre los labios del isleño y un oleaje violento azota ambos cuerpos con un ímpetu primitivo, y Damián se sorprende inclinado hacia ese cuerpo, impelido por el vendaval maestro del instinto que le dicta su primera lección pasional. Enceguecido, desprende la tela que lo separa de los pechos de Tiara, que estallan de pronto como dos soles de nácar que ruedan entre sus dedos llenos de fiebre, y sobre ellos deja caer su boca, succionándolos con un atolondramiento bestial... La joven asiste, indefensa, a los movimientos de esas manos inexpertas que van despojándola de sus ropas, al tiempo que de la garganta de ambos comienzan a escapar palabras incoherentes... Desnuda sobre los arrugados pantalones, gime repentinamente con el primer dolor de amor, un dolor que se parece demasiado a la felicidad, y Damián penetra por primera vez en el cuerpo de una mujer, sintiendo cómo las uñas de la joven se clavan en sus carnes, en la del primer hombre de su vida, entremezclando palabras nativas —¡*Tau here!*, ¡*Hanga rahi atu au kia kóe!*[117]— con otras que terminan sumergiéndose en su propia garganta...

El cambio de velocidad de la aeronave acaba generando una vibración que le hace recordar a Damián cuando los motores de las lanchas son apurados al máximo.

—Es la primera vez que vuelo en dirigible, ¿sabes? Travis los prefería; claro que van a la cuarta parte de la velocidad

---

[117] «¡Te quiero mucho, junto a mi lado!».

de los aviones, pero es más plácido —dice Mariela—. Travis me contó que hace muchos años los había también, pero eran peligrosos.

En japonés y luego en inglés, francés y español, los altavoces anuncian la próxima llegada a Papeete. Damián endereza su asiento, se ajusta los cinturones y se queda mirando el azul del mar y el cielo que se amalgaman en un solo bloque de eternidad.

—Estamos aterrizando —anuncia Mariela.

Clavado en su asiento, la mirada vidriosa, su compañero de viaje percibe un taladrante siseo que va penetrando en su cabeza, ruidos y voces confusos a los cuales se incorporan cantos nativos. Ovillado en el asiento, ve aproximarse un rostro familiar, el de Akiko Kayama.

—Hemos llegado —exclama la auxiliar, y al ver que Damián no responde, mira a su vecina de asiento—. ¿Tú lo acompañas?

Mariela le informa que se encontraban por casualidad viajando juntos.

—Nos conocimos en Rapa Nui —dice, atemorizada—. Yo sigo a Nueva Zelanda, ¡pero bajaré y lo acompañaré, si es necesario! Puedo tomar otro vuelo.

La auxiliar se aleja, pero no tarda en volver acompañada de un sobrecargo que se sienta junto a Damián y lo interroga en inglés, debiendo repetir algunas preguntas. Mariela intenta explicarle que un estado parecido se apoderó de él media hora antes. Poco después, lo ayudan a subir a un vehículo en dirección hacia Pirae, la guirnalda de *frangipani*[118] colgada a su cuello, como la de Mariela. (Confusa y vagamente recordará

---

[118] Flor autóctona de la isla de Pascua.

Damián a la tahitiana que se la aplicara junto con las palabras de bienvenida).

Sentada a su lado en el *jeep*, la boliviana lo mira con expresión de pesadumbre.

—Se te pasará —trata de animarlo—; no te preocupes.

Él la mira cual si acabase de despertar.

—Pero... tú tienes que seguir... a Auckland... —articula.

La voz de Akiko Kayama llega desde atrás.

—El dirigible tiene revisión técnica; alcanzará a volver.

Un exuberante paisaje desfila ante los ojos del isleño, una polícroma vegetación que contrasta con la de la isla que ha abandonado hace unas horas, allí donde estaba y estará Tiara Paoa recordando, como él, ese vértigo que los anudó en la violencia del amor recién descubierto.

Ritsako Hagywara, la auxiliar de tierra encargada de conducir a Damián al hotel, es una joven de rostro más claro que el de Akiko. Mira aprensivamente al pasajero, pues ha sido informada de su estado.

—Creo que está dándose cuenta de todo —le explica Mariela—. Le afectó mucho la muerte de su amigo en Rapa Nui. ¿Será necesario llevarlo a un hospital?

—No creo. De todos modos, tendrá que decidirlo nuestro médico, como aconsejó el sobrecargo.

El vehículo se detiene finalmente ante el hotel Venus, con sus techos cubiertos de balagas y las paredes de bambú. Ritsako se adelanta al mesón de recepción y dice algo en francés. Volviéndose luego a Damián, explica:

—Podrás permanecer aquí dos días a cargo de nuestra línea. Vendrá un médico a verte.

Aún confuso, el isleño la mira sonriendo.

—¿Creíste… que era la peste?

—Te confieso que mi compañera Akiko lo pensó así, al igual que el sobrecargo, pero no se trata de eso. Bueno, tú comprendes, ¡estamos habituados! Bokusui, mi marido, no hace más que pensar en ella. Hace dos meses que nos trasladamos a Tahití y no atina a disfrutar de su belleza. Podéis venir a casa un día. Compartiremos una taza de té.

—Si me quedara en Tahití acompañaría gustosa a mi amigo —se disculpa Mariela Aramayo.

—¡Había olvidado que tú no estarás aquí! —exclama Ritsako, en un castellano más fluido que el de su compañera Akiko.

Una mano huesuda se apodera del hombro de Damián. Un tipo alto, de edad indefinible, lo escudriña y luego jocosamente brama:

—El *manager*, me dijo que estabas muriéndote, pero veo que te encuentras en un envidiable coloquio con Ritsako… Soy el médico de la Japan. ¿Es cierto que te sientes mal?

—Lo estaba hasta hace pocos minutos —dice Ritsako—. La compañía prefiere que lo examines.

—Bueno, bueno, ¡cumplamos con los absurdos reglamentos! Vamos a ver, ¿dónde está tu habitación?

—Es la número 24 —grita desde la recepción Roger Lavesque, un hombre calvo y obeso—. Ya tiene ahí sus valijas.

—Yo y su amiga esperaremos tu veredicto para informar a la línea —dice Ritsako, y ve cómo el fornido médico arrastra a Damián por la escalera hasta que desaparecen.

Con su osada arquitectura de cristales —un matiz diferente en cada uno de los 72 pisos— la construcción del Kosmopolit donde rotan, en los dos últimos pisos, los comedores de los restoranes giratorios del mismo nombre, debió ser interrumpida debido a la crisis del 2037, reanudándose solo en enero de 2039. Situado en el centro del Nobel Parken, la panorámica visión que se extiende desde lo alto no tardará en convertirse en uno de los puntos más atractivos de la capital sueca, superando con mucho a la torre Kaknäs, de apenas 170 metros. Aún en medio de una desolada atmósfera de tristeza, su inauguración, que coincidiría con esta nueva época, había despertado una ansiedad esperanzada. Una blanca sinfonía, la implacable nieve del norte de Europa, cubre también Estocolmo aquella noche destinada a separar dos décadas. Pero esa invisible hoja que cercenará el tiempo en dos seculares jalones, ha caído hace cinco o seis horas en otras latitudes y tardará algunas en otros lugares del oeste.

Para Estocolmo y otras ciudades del continente europeo, quedan menos de dos para la cita de cronos. Como en centenares de miles de pueblos, familiares y amigos se hallaban reunidos en torno a una mesa. No existían muchos más sitios desde los que era posible presenciar la llegada de la nueva década de una manera tan espectacular como se podía en el Kosmopolit. Solo la torre Peninsular de Madrid, el Pombal de Brasilia, el Emperor de Manhattan, el Sea Gull Tower de California y la vieja Tour Eiffel de París gozaban de posiciones tan privilegiadas. Sus reflectores iluminan, alternativamente, la helada superficie del Mälaren, del Saltsjön y el Djurgårdsbrunnsviken, ofreciendo todos ellos una dramática visión de esa invernal noche a la vez temida y anhelada. Más lejos, desde Strandsvägen hasta Solma Kyrkväg, desde Essingelepen a Frihammen y en el distante Årsta Holmar, las luces de la gran urbe centellean a través del cristal del aire nocturno; muy cerca no tardarán en elevarse los primeros fuegos de artificio, mientras en la fosforescente Narvvägen grupos de sobrevivientes, drogadictos y borrachos reparten alaridos, trompetadas y risas.

En una mesa en forma de trébol, el pastor, su mujer, Linn Borg y Stig entrechocan sus copas en el momento en que los relojes de Europa occidental marcan las 23:19.

—*Skål... Skaål hej*! —Unos y otros intercambian mensajes de amistad, supervivencia y amor en medio de la creciente bullanga.

Cascada de platino que se desploma sensualmente sobre sus hombros, la cabellera de Alwa Jansson contrasta con su negro traje de gala. Sus ojos celestes parecen hacer daño al posarse sobre los demás, haciendo incluso converger hacia ella la mirada de los ocupantes de otras mesas. Al comprobarlo, una secreta vanidad se apodera de Lars al saberse poseedor de esa codiciada figura.

La multitud ha empezado a cantar aires legendarios, *Natt au Frid* —«*Noche de paz*»— entre ellos, mientras algunas parejas bailan en las pistas adyacentes, concéntricas a los comedores. Poco después, el pastor y su mujer lo hacen siguiendo los compases del romántico *Förälskad* [119]. El espigado cuerpo de Linn Borg se adherirá más tarde al de su acompañante a los sones de la alegre *Bubla* [120]. El actor ha sido reconocido y algunos lo señalan con ostentosos o mal disimulados gestos.

Multicolores luminiscencias esclarecen los ventanales, y es en ese momento cuando Estocolmo, toda Suecia y gran parte de Europa estallan en diluvios de luces y sonidos, fusionándose en el cielo de la medianoche que parte la Tierra en dos décadas, postergando duelos, desesperanzas y renunciamientos y abriendo a dentelladas el pórtico de quizás una nueva era, una era cargada de incertidumbres, abrazándose entre sí, súbitamente fraternales, como en otras latitudes lo hicieran o lo harían dentro de poco.

Ceñida a su amado, la voz apenas audible en medio de la vocinglería, Linn logra decir:

—¡Feliz año nuevo, Stig!... ¡Solo podré ser dichosa cuando tú lo seas!... ¡Te lo deseo... y daré lo mejor de mí, hasta la vida misma, para que lo obtengas!

—¡Feliz año nuevo, Linn! —El actor deja caer su boca, una boca escasamente inexperta para la piel femenina, en los de su compañera, y su sangre es atravesada por ese nuevo vértigo que ha comenzado a percibir desde hace algunas semanas.

De pie, cubierto de confetis y serpentinas, Lars abraza a su esposa y, al descubrir ambos la cercanía de Linn y Stig, intercambian abrazos y augurios.

---

[119] «Enamorado».

[120] «Burbujas».

—¡Nueva vida, Stig! —Alwa abraza al actor—. ¡Que este año te traiga la felicidad que tanto anhelas!

—¡Te lo deseo también a ti, Alwa!

El pastor y su examante se miran un momento en silencio antes de intercambiar sus abrazos. La voz de Lars surge temblorosa cuando dice en voz baja:

—¡En esta noche del nuevo año te deseo la paz, Stig…, la que siempre anhelamos y que yo encontré!

—¡Gracias, Lars, por todo! Nunca olvidaré cuanto has hecho por mí…

Sin embargo, Stig notó que su corazón se aceleraba con la cercanía del cuerpo de su examante. Esto era el no parar. ¿Cómo era posible que justamente él, uno de los mejores actores suecos, un supuesto profesional de impostar emociones, tuviese precisamente un problema para vivirlas e interiorizarlas? La idea de llegar a finalmente entender que tan solo le movía el instinto sexual le parecía tan primitiva y simplona que le hacía sentir que la naturaleza le había jugado una mala pasada.

El himno nacional sueco que ha iniciado la orquesta mantiene de pie a los ocupantes del Kosmopolit. Emocionados, casi en éxtasis, se ponen a cantarlo, los ojos de la mayoría humedecidos por el llanto:

Du Gamla du fría du

Fjällhöga nord

Du fysta dy glädjerika

Sköna jag ánskar di

Värbastar jabd uppa jord

Din sol din himmel

Dina änder gröna...[121]

Después, conocidos y desconocidos intercambian lágrimas y anhelos, una desacostumbrada hermandad que ha despedazado la indiferencia o el egoísmo de otros tiempos, mientras la sinfonía de resplandores y sonidos se expande por todo Estocolmo. Hacia el sur, desde la distante Årsta Holmar, se elevan mágicamente, cadenciosos y multicolores, veinticinco aeróstatos que, esculpidos contra el terciopelo de la noche sueca, forman el augurio universal de esos instantes:

Lyck, ny år[122]

Los cuatro mil y tantos ojos siguen, desde los ventanales del Kosmopolit, el engranaje nocturno de esas palabras que miles de otros en las calles, en los automóviles y autobuses, en sitios públicos y privados, contemplan con similar emoción, hermanando en un solo puño a los 1 780 000 habitantes de Estocolmo.

—¡Me gustaría abrazar a mi hermana Astrid! —La voz del pastor Jansson logra sobreponerse a la ensordecedora algarabía—. Vosotros la conocéis, por supuesto..., a excepción de Linn.

---

[121] «Tú viejo, tú libre, tú norte montañoso
Tú silencioso, ¡tú bello y gozoso!
Te saludo, la tierra más bella en la tierra,
Tu sol, tu cielo, tus verdes pastos
Tu sol, tu cielo, tus verdes pastos».

[122] «Feliz año nuevo».

—Stig me habló de ella —acota la actriz—. ¿Es que ha venido esta noche?

—¿No lo sabes todavía, Linn? —pregunta Alwa—. Fue Stig quien consiguió a última hora una mesa para ella. Está acompañada de una sobrina de Lars y de un forastero.

—Discúlpame, Linn —interviene el actor—. No quería decírtelo para no entristecerte. Esa mesa se consiguió anoche... pertenecía a Vilhem Grahn.

—¿Vilhem Grahn...? ¿Es posible?

—Lo entrevistaban en la televisión cuando se desplomó. Todo el mundo pudo verlo en las pantallas.

—Dios mío... ¡no puedo creerlo! ¡Estuvimos en su casa hace pocos días!

—Diana Grahn me traspasó el derecho a esa mesa —agrega Stig—. Lars y yo decidimos obsequiarla a su hermana Astrid.

—De todos modos, creo que no será fácil dar con ella en medio de este gentío —opina Alwa, afectada por ese diálogo.

—Creo que tengo una idea —propone el actor, señalando un extremo del bar—: si tomamos allí una copa rotaremos por todas las salas: su plataforma se mueve en dirección contraria a la nuestra.

El pastor lo mira pensativo.

—Sí, creo que tienes razón, Stig. No había reparado en ello. Es, sin duda, una brillante ocurrencia.

—Entonces, ¡celebrémosla! —apoya Linn, deseosa de aturdirse—. Pediré un *röd haj*, un coctel que descubrimos Stig y yo en un diabólico antro de Wällingby.

Metido incómodamente en un uniforme blanco y turquesa que distingue a los camareros del Kosmopolit, el encargado del bar, un tipo de rostro asimétrico, se aproxima a los recién incorporados clientes con las bebidas que estos han solicitado. En este lujoso sitio los robots-camareros no son bien vistos; *röd haj* para Linn y Stig y *akvavitt* para Lars y Alwa.

—¡Es fantástico! —observa luego Linn, mareada ya—. ¡Casi no percibo que avanzamos!

Bebiendo su ron solitario, un marino noruego monologa más allá con su pipa, octogenaria como su dueño. Levanta sus ojos, rodeados de dinosáuricos párpados, para brindar con sus vecinos que ríen junto a un inmenso globo terráqueo que gira lentamente sobre su eje.

—¿Confiáis en que daremos con Astrid en medio de este maremágnum? —pregunta Alwa, contemplando la sucesión de mesas y rostros. Su voz queda ahogada en la vocinglería reinante—. Al menos yo he tenido la fortuna de conectarme televifónicamente con mi madre en Örebro y mi padre en Gotemburgo —logra informar al alzar la voz.

—¡Yo llamaré a Hyltebruk para desear feliz año a mi hermano Nikolas! ¿Y tú, Stig? Supongo que llamarás a Arvika, ¿verdad?

—¡Por supuesto Linn! ¡Es un nuevo año, claro que sí!

Es en ese instante cuando la mirada de Alwa tropieza con la figura de Astrid, su cuñada, quien se pone de pie, saludando, y lo mismo hacen su hija y el desconocido que las acompaña.

—Bueno, ¡por fin! —se anima el pastor, levantándose.

Seguido por su mujer y los demás, se encamina en dirección a una mesa octogonal donde se encuentra su hermana, a la cual abraza, y luego lo hacen entre sí, repitiendo los votos de dicha en sueco y en inglés al dirigirse al joven que comparte esa mesa.

—¡Lars dudaba encontraros en medio del gentío! —dice Alwa—. Tú conoces a Stig, supongo… y esta es Linn Borg, que actúa también en el Dramatiska.

Ceñida con un vestido verde, la hermana de Lars se vuelve al actor.

—Recuerdo cuando Lars nos presentó en tu camarín, al finalizar aquella obra…

—*Las hienas.* No lo he olvidado, Astrid. Entonces no estabas sola.

—Estaba Christer conmigo —dice con la voz velada. A su lado, envuelta en un traje celeste, su hija Svea dialoga en voz baja—. Bueno —Astrid parece sobreponerse de pronto a su tristeza—, ¿no creéis que podríamos compartir esta mesa? —Los demás apoyan su idea—. Ya sé que tenemos que agradecerte a ti, Stig, el que podamos estar ahora en el Kosmopolit, aunque me apena saber la razón por la que ha sido posible ese milagro.

—Iban a ocuparla siete personas —aclara el actor—: el matrimonio Grahn con sus dos hijos y unos amigos. Todo se ha ido al diablo.

Mientras Alwa dialoga con su cuñada, el pastor se vuelve al acompañante de su sobrina, diciéndole:

—Tienes aspecto latino… Svea me habló de ti, pero no recuerdo exactamente de dónde procedes.

El aludido, un joven de cabellos y ojos oscuros, informa que viajó de su lejana isla nativa.

—Se llama Robinson Crusoe —aclara la sobrina del pastor—. Es el nombre de una novela muy antigua.

—Sí, la recuerdo —dice Lars—. Impresionó vivamente mi infancia. Creo que sería interesante conocer ese lugar. —Y propone a su mujer viajar por esa y otras islas del Pacífico.

Alwa lo mira incrédula.

—¡Oh, Lars! ¡La idea me es seductora!

El pastor mira al forastero y pregunta qué lo ha impulsado a llegar hasta Suecia desde un lugar tan apartado. Metido en un esmoquin negro que parece quedarle ancho, el aludido mira a Svea antes de responder.

—Bueno —dice—, trato de visitar algunos lugares que anhelé conocer desde niño, antes de que sea demasiado tarde.

Una camarera los interrumpe para dejar las bebidas solicitadas. Antes de retirarse, se inclina al actor, diciéndole en su idioma:

—¡Eres Stig Tornval!, ¿verdad? ¿Tendrías la gentileza de obsequiarme un autógrafo? ¡Ahora que estás tan cerca de mí no puedo dejarte escapar! ¡Mis compañeras están envidiosas porque me ha tocado a mí atender esta mesa!

Linn Borg deja escapar una nerviosa risa al tiempo que Stig comenta:

—Bien, ¿deseas mi nombre eternizado en esta servilleta o en otra parte?

—¡Hazlo aquí! —propone la muchacha señalando su nalga izquierda y bajándose ligeramente la falda como si fuera a recibir alguna inyección de antibióticos. Y mientras las risas estallan en torno suyo, el actor empuña un lápiz labial que le entrega Linn y graba en la piel de la camarera: «A Kiki Stottsberg, que ha contribuido a alegrar esta noche del nuevo año en el Kosmopolit».

Formando un corro en torno a la privilegiada Kiki, media docena de camareras se inclinan para leer esas palabras que el actor ha grabado en la piel de su amiga.

Luego de aquietarse los rumores de la insólita escena, Alwa Jansson pregunta al forastero si su permanencia en Suecia será breve o prolongada.

—Se marchará dentro de poco —informa Astrid— y lo ha decidido esta noche en ese globo terráqueo que giraba en el bar—. Svea le había tapado los ojos y él había señalado un punto cualquiera. Su dedo se detuvo en Siria.

El pastor lo mira extrañado y pregunta si era eso lo que él esperaba. El joven esboza, impaciente, un gesto ambiguo. Se propuso, dice, que fuese el azar y no su albedrío quien señalara su nuevo destino.

—¿Es acaso más importante para ti lo que ha dictado la casualidad que lo que realmente anhelas? —insiste el religioso—. Me cuesta un poco entenderlo.

Un diálogo de inusitada profundidad se genera entonces entre ambos, obligando al actor a interrumpir estas disquisiciones que le parecen inadecuadas en medio de la alegría reinante, y pide al religioso que se olvide de su condición de tal, sugiriéndole beber en homenaje al nuevo año que llega y maldecir al que acaba de marcharse. Con voz decididamente insegura, exclama, volviéndose al forastero:

—¡Salud! Bueno, he olvidado tu nombre…

—Damián.

—¡Salud! —repite—. ¡Que los dioses te protejan en tu nuevo destino, cualquiera que sea!

—¡Yo también deseo brindar por ti! —interviene Alwa, y roza su copa con la del sudamericano, mientras la algazara se acrecienta en rededor.

El pastor se pone de pie y se acerca a su sobrina que esconde la cara entre las manos.

—Bueno, ¿por qué tienes que llorar? —la interroga—. Ven, quiero que bailes conmigo; es una música muy bella.

—¡Es *Var är hammel*[23]! —recuerda Svea—. Me produce nostalgia. Es tan tierna como la que bailaban mis padres y que la orquesta tocó hace poco.

—Sí, ya lo sé, *Föralskad*, la escuchamos en la otra mesa y Alwa y yo la bailamos... ¿Por qué llorabas? ¿Estás acaso enamorada de ese joven?

—¡Sí!, ¿cómo lo sabes?

—No había más que mirarte, Svea. Además, tu madre me dijo algo el otro día.

—Sí, lo amo, tío Lars, ¡no podría ocultártelo ya! ¡Me dan deseos de gritarlo por todo Estocolmo, por toda la Tierra!... Es la primera vez que amo a alguien... mi madre lo sabe y él también, ¡pero no me arrepiento! Aunque te enojes conmigo, aunque...

—Nadie puede saber con claridad lo que es bueno o malo, Svea... No creo que Dios pueda ver mal tu amor ni todo eso a lo que te ha conducido.

—¿Y tú, cómo lo ves, tío Lars?

---

[23] «¿Dónde está el cielo?».

—Yo soy un pecador que se ha equivocado más profundamente. No, no creo que ningún ser humano pueda culpar al amor o a sus consecuencias ni juzgar a nadie.

—¡Lo amo! —repite Svea Nordberg—. ¡Lo amo, aunque ya sé que se marchará y no tenga sentido! Él acaba de decidir su alejamiento en ese globo terráqueo… y quedaré de nuevo sola con mi madre.

—Si te ama es posible que vuelva. ¿Te ha dicho que te ama?

—Sí, me lo ha dicho. ¡Sé que es sincero cuando me lo dice! ¡Pero puede que también lo sea cuando se lo diga a otra!

La efervescencia prosigue cada vez más ruidosamente hasta que, muy tarde ya, va declinando. Los aeróstatos que forman los votos de un feliz año van desvaneciéndose sobre las heladas aguas del Årsta Vicken, al paso que las risas y el champán agonizan junto a los manteles manchados de vino…

—¡Te agradecemos que nos hayáis invitado! —saluda Barry Fletcher estrechando la mano de su anfitrión—. Mi nombre es Barry y cada uno de mis amigos os dirá el suyo. Ellas tienen nombres muy complicados, a excepción de esta inglesita que he secuestrado de un hospital de Hong Kong.

—Me llamo Janet May —dice la aludida, al tiempo que Paul y Vincent saludan a sus nuevos amigos.

Helvi y Belkiss pronuncian respectivamente sus nombres y van ocupando su puesto en la mesa previamente ampliada. Finalmente, Sidchalean quien dice su nombre. Rodeándola con un brazo, Barry comenta:

—Ella es la única que puede pronunciarlo. Cada vez que lo intento me hago un lío.

La joven de aspecto oriental mira a los recién llegados y se presenta a su vez. Dirigiéndose a la tailandesa, dice:

—No sé si mi nombre es menos complicado que el tuyo. Soy de Corea y me llamo Kum Giong Jun y mi amiga rumana, Ilie Krasnaru.

Esta última pregunta, sin apartar la vista del cantante:

—¡Dios mío! ¿No eres Barry Fletcher?

—¡Has acertado, pero hubiera preferido pasar inadvertido!

No menos conmovida, la coreana comenta:

—¡Créeme, me parece fantástico que nos encontremos a tu lado! ¡Justamente pensábamos con Ilie pedirle a nuestro amigo que nos lleve a escucharte!

Vincent Mac Lain encarga a la camarera una botella de vodka, al tiempo que el cantante pregunta:

—¿Erais vosotros los que estabais en La Cima cuando se suicidó un tipo?

—Éramos mi amigo y yo —interviene la coreana—. Fue un espectáculo deprimente.

—A lo mejor ese desgraciado está compadeciéndose en alguna parte —dice Janet con inesperada sorna.

Ilie Krasnaru pregunta acerca de las próximas actuaciones de Barry en Hong Kong. El cantante dice que deben considerarse invitadas al Ko Shing Opera House en su actuación de despedida.

—Querido —dice Kum Giong Jun dirigiéndose al joven que las acompaña—, ¿verdad que iremos? ¡Prométeme que postergarás tu viaje para que podamos escucharlo!

—¿Es que te vas pronto? —interroga Barry.

La rumana, amiga de Kum Giong Jun, interviene para explicar que tiene un compromiso pendiente.

—Tal vez no alcanzó a decírtelo —agrega.

—En mi isla conocí a un turista francés —dice el aludido—. Planeamos viajar juntos a Sídney, pero murió en la isla de Pascua, dejándome su dinero y su mensaje para su novia de París, que aún ignora lo ocurrido.

El cantante lo mira pensativo.

—Es como si acabaras de contar el argumento de una mala película, y la verdad es que lo parece. ¡Resulta frustrante admitirlo pero preferiría ser un mendigo y tener la seguridad de estar quemando mis años como debe ser, uno a uno y no todos de golpe como un polvorín que estalla!

—Bueno, no volvamos al maldito tema —interviene Paul.

Algunas mesas comienzan a quedar vacías. Tras una corta tregua, los cinco componentes de la orquesta vuelven a enfrentarse con sus instrumentos, al tiempo que la rumana pregunta al artista acerca de su eventual boda con la hija de un magnate petrolero.

—Lo leí en el *South China Morning Star* —dice candorosamente.

—Su nombre es Deborah Ferguson —completa Belkiss Jóla.

Haciendo temblar el candelabro con sus velones encarnados, Barry asesta un puñetazo en la mesa.

—¡Al diablo con esa mujer! ¡Jamás me casaré con esa perra petrolera! Ya podéis pregonarlo por todo Hong Kong y Macao.

Más tarde, los diez comensales se despiden del afable dueño y anfitrión, quien los acompaña hasta la alfombrada escalerilla, estrechando la mano a cada uno de ellos. Las luces de Kowloon tiemblan en medio de una cenicienta, atenuada garúa. Kum Giong Jun y el botero dialogan en su idioma y la finlandesa Helvi se besa con su amante norteamericano.

—Temo que estoy cayéndome de sueño —se lamenta Belkiss Jóla, la cabeza apoyada en el hombro del pianista—. ¡He bebido como una tabernera!

Los remeros aproximan el sampán hasta el muelle y, trastabillantes, sus ocupantes bajan a tierra. Barry es el último en hacerlo, luego de despedirse de los dos remeros y del guía, en cuyas manos coloca un billete de mil dólares hongkoneses.

—Gracias, —barbota—. No sé si eres el botero del Tai Pak o un moderno caronte azul. ¡Tal vez seamos ya todos unos cadáveres y no ha sido a nosotros sino a nuestras almas a quienes has trasladado a esta orilla! ¡De todos modos, reza por nuestro destino a tu Buda o a los dioses que quieras!

Aprisionada en el alba cenicienta, la bullente Aberdeen Bay ha amortiguado su bullicio. Inclinado sobre las pértigas de sus carruajes, viejos hombres, adolescentes de ambos sexos y mujeres adultas ofrecen sus *rickshaws* con un énfasis traicionado por la modorra.

Como huellas en la blanda arena de una playa, el estigma de la muerte azul se ha hecho presente en Tahití. Sus mujeres parecen haberse multiplicado y el amor convertido en una fruta codiciada, áspera y huidiza, ofreciendo el suyo con generosidad.

Liberado de la momentánea locura y sin la fraternal cercanía de Mariela Aramayo, que ha proseguido su viaje a Nueva Zelanda, Damián vaga, absorto, a través de este paraje multicolor, abrumado aun nostálgicamente por el recuerdo de Alain y de su primera experiencia de amor en Rapa Nui. ¿Por qué no se quedó al lado de Tiara, como insistentemente se lo pidiera? ¿O es Alain o su padre, su *aku aku* ahora, emergiendo desde su tumba oceánica en Rapa Nui el uno y en Robinson el otro, quienes lo empujan a alejarse cada vez más?

Sentado esa tarde ante una mesa en una hostería de Tehanupoo, contempla un vaso de *kaúla*[124] en la mano. Varias parejas, algunas formadas por mujeres, bailan en la pequeña pista rodeada de cañaverales y arbustos. Más allá, en otras mesas parcialmente resguardadas por parasoles de fibra, algunos hombres maduros, viejos y carcamales dialogan con forasteros e isleños. Entre ellos, una isleña extremadamente joven se halla sentada junto a un septuagenario que acaricia sus muslos.

---

[124] Bebida a base de ron, coco y vainilla.

Acompañada de una mujer alta de tez blanda, una chica le clava los ojos desde el bar. Tiene el cabello castaño y va ceñida con un llamativo *gol*[125]. Damián la mira distraído. No son sus facciones las que se proyectan en su retina, sino otras más lejanas, un rostro transfigurado por la pasión recién descubierta...

Mientras mira a la chica del bar, Damián pierde su mirada en el túnel de su memoria.

—¡*Tau here*! —repite Tiara, suplicante.

—¡Volveré por ti para quedarme por siempre o llevarte a mi isla! —dice Damián, dominado aún por la emoción que lo ha estremecido hasta las raíces. Después se arrastran por el duro suelo de Ana Kakenga y suben al escúter.

—¡Te amé desde que te vi..., tal vez desde siempre! —susurra Tiara, montada ya en el vehículo.

—¿Amabas también a Alain?

—¡No lo sé!, ¡tal vez necesitaba amar a alguien! No puedo explicarlo. ¡Es a ti a quien amo ahora! ¡No me cuesta decirlo, no me cuesta comprenderlo!

—¡Yo también te amo, Tiara! Volveré a Rapa Nui, pero no quiero que te hagas ilusiones. Vilma Hgy quiso matarse por Yigal..., estaba demasiado unida a él. Ningún hombre puede prometer nada a nadie.

—Sé lo que quieres decir, ¡pero tú vivirás! ¡No es a la muerte a lo que más temo, sino a esa otra muerte peor, y tú sabes a cuál me refiero!... ¡que te olvides de esta isla y de Tiara Paoa y de todo lo que ha sucedido entre nosotros! ¡Es contra esa muerte por la que quiero rogar!

---

[125] Vestimenta femenina.

—¿No deseas comer algo? —expresándose en un cálido francés la camarera le trae otro *kaúla*. Damián la mira como si despertase de un sueño. El cuerpo de la tahitiana ondula bajo su vestido de fibras—. ¿Te gustaría un sándwich de carne? ¡Haré que te lo preparen sabroso!

—¿Quieres que te grabe junto a los moái? —pregunta Tiara—. Es difícil captar a los cinco en una toma. Trataré de que aparezcamos juntos. —Desciende del *jeep* y Damián libera el dron que automáticamente enfoca hacia los cinco de Tahai, a los que agrega la figura de Tiara.

Al volver al vehículo, esta dice:

—Cuando vuelvas a ver todo eso, estarás lejos de mí.

—Volveré, Tiara.

—¿Me lo prometes? ¡Prométemelo, te lo ruego!

—Soy compañera de la chica que acaba de servirte. Me llamo Lucette Tuuia. Me gusta conversar con los extranjeros. — Le mira fijamente, sin parpadear, como cuando descubres algo especial en otra persona.

Damián la mira con aire confuso, su mente sigue en Rapa Nui, mientras saborea el emparedado que acaba de traerle su compañera.

—Sí, puedes sentarte.

—¿De dónde eres?

—Ahora vengo de Pascua.

—Eso suena familiar para nosotros. En Tahití hay muchos pascuenses. Hablamos casi el mismo idioma. ¡Ellos rezan en tahitiano! Voy a pedir a la camarera que nos traiga una copa; yo invito.

—¡Tengo miedo! —dice Tiara, frente al hotel Akahanga—. ¡Es como si me sintiera culpable!, ¿comprendes? ¡Pero sé que no debería ser así! ¡Tengo ganas de gritar mi alegría! Pero estoy obligada a callar. Cuando vuelva a casa, sentiré que mis padres leerán en mis ojos, y también mañana cuando nos encontremos en casa de Pakomio.

El isleño comienza a descargar los implementos de grabación de Alain.

—Subiré a dejarlos y bajo en seguida —Vacila, temeroso, sin separar su mirada de Tiara—. ¿Quieres subir conmigo?

—¿Subir? ¡No sé…!

—Nací en Maiao —dice Lucette Tuuia, luego de beber el primer sorbo de Pernod que celestinamente coloca en esa mesa la camarera—. Vive allí mi madre con dos hermanos menores. ¿Te gustaría conocerlos? ¡Mira, esa es *madame* Lajoie, mi patrona! Se alegra cada vez que me ve con un forastero. ¿Qué harás esta tarde? Puedo llevarte donde quieras en mi coche.

—Me hospedo en el Venus.

—Está lejos, pero te acompañaré, si me lo permites. —Se pone de pie—. Espera un momento, mientras me cambio. Entretanto, pediré otro *haúla*.

Damián precede a Tiara en el ascensor que se detiene en el piso sexto; al entrar en la habitación, queda mirando las dos camas cubiertas con las colchas color pardo y amarillo.

—¿Es aquí donde dormía Alain?

Damián se aproxima y extiende sus brazos, ciñéndola. La boca de ella o la suya primero, ya no lo recuerda, cae y forma un nudo de carne y fuego, un fuego que culebrea por su piel en un frenesí ingobernable… Desnudo y estremecido como en la fría piedra de la gruta, se entrega al vértigo de esta nueva fiebre y en sus sentidos estallan las entrecortadas súplicas de Tiara, y ambos penetran en esa zona oscura y volcánica. La lava, como la del Rano Aroi, se desborda por sus poros, por su boca, por su enardecido sexo y por su sangre… La muerte tendrá que morir en medio de esta llama, la peste caerá pulverizada en las mandíbulas de fuego, y un polvo azul, muerto e inútil, se hundirá lentamente en el exterminio… Enceguecidas, incoherentes, de la garganta de la pascuense brotan palabras primitivas que la sofocan.

—¡*Hanga rahi atu au kia koe*![126] ¡*Honguimai*![127] ¡Me enloqueces! ¡No te marches…! ¿Sabes cómo se dice en mi idioma lo que estamos haciendo?

Un silencio interrogatorio se apodera de la situación.

—*Túqui túqui, ay ay*[128] —Damián no puede menos que sonreír al escuchar el nombre pascuense para denominar a ese estado de furia sexual—. ¡*Tau here*!

Agobiada por el sadismo lujurioso de Damián, Tiara articula palabras incoherentes, vencida e implorante. Después, cuando la tempestad deja paso a una tregua —será una corta tregua— balbucea, con voz desfalleciente:

—¡Me cuesta comprender que dentro de poco no estarás a mi lado! ¡Qué haré sin tus caricias?

Aferradas las manos al volante de su coche, Lucette dirige el vehículo en dirección a Papeete.

—Vivo en Papara, lejos de aquí —explica—. Espero que visites mi casa o me acompañes a Maiao… ¿Cuánto tiempo te quedarás en Tahití? Esta maldita peste tendrá que terminar —

---

[126] «¡Te quiero mucho!».

[127] «¡Bésame!».

[128] Denominación pascuense a las relaciones sexuales.

dice con voz rebelde y desolada—. Eso que ves ahí es Panaauia. ¡Si quieres que nos encontremos de nuevo, te haré conocer todo Tahití! —Después, cuando el vehículo se detiene, agrega—: ¡No te arrepentirás! ¡Haré que tus días y tus noches en Tahití sean inolvidables!

Solo más tarde en el bar del hotel, ocupa un taburete frente a otro vaso de Pernod. Los ojos de Lucette emergen en la superficie verdosa de la bebida, pero su figura es sustituida por la de Tiara que ha vuelto, desflorada, a la lancha luego de haberla abandonado virgen siete horas atrás. Sentado en la popa, Damián admira su destreza para dirigir la barca sobre el oleaje. Atraviesa Punta Baja y dobla por los acantilados de Orongo en dirección norte, las oscuras pupilas alternativamente concentradas en el timón y en su amante; los dos amarrados en un silencio que rechaza las palabras, un silencio acuchillado por los intermitentes graznidos de las gaviotas y tabakes o los trallazos del oleaje en los roqueríos y las escolleras del Motu Kao Kao, por cuyas inmediaciones avanzan… Emergiendo fálicamente de las aguas, la espada de piedra del islote simboliza su destructora virilidad recién inaugurada, pequeño Motu Kao Kao con su urdimbre de sangre en lugar de piedra, insaciable ya, con un vigor que terminará esclavizándolo. (*Podría recostarla en el vientre de este bongo y poseerla varias veces más… Me pregunto dónde escondía esta sed de la que desvergonzadamente me desahogaba en mis placeres solitarios, desnudando con la imaginación a esas rubias turistas de Robinson. ¿Cómo podré abandonarla? He marcado su cuerpo con la semilla del deseo, y tal vez durante mi ausencia algún turista belga o un pescador de ojos siniestros la acosarán con su sensualidad impertinente*).

—Ese que ves ahí es el islote de los *tanga-manu* u «hombres pájaros». —Tiara señala el Motu Nui, en cuya superficie las gaviotas y uno que otro manutara venido desde los islotes han ido depositando milenariamente el guano que dibuja, como los petroglifos de Orongo, las lechosas estrías de la eternidad. Dos semanas antes, envuelto en la raída bandera de su patria, Alain desapareció en esas profundidades—. Sí, fue allí —confirma Tiara—. No quisiera recordarlo; es como si estuviese viéndolo. En primavera, cuando estés de nuevo en Pascua, presenciaremos la ceremonia de Orongo que Joaquín Rapu, nuestro alcalde, ha revivido. El señalará, como los sacerdotes de entonces, el momento en que los *hopu manu* bajarán por la escotadura del Rano Kau. Podrás grabar todo eso, como lo deseó Alain... ¿Verdad que estarás entonces conmigo?

Unos ojos oblicuos, familiares ya para Damián, lo separan de sus reminiscencias y le obligan a regresar a su realidad tahitiana

—¡Por fin hemos dado contigo! —Ritsako Hagywara, la auxiliar de tierra que le llevó al hotel, le roza un hombro—. ¡Pensamos que no volverías al hotel o que fuiste en busca de otro!

—Salí a dar un paseo.

—Te presento a Bokusui, mi esposo, y esta es Reyana Tapare —agrega, señalando a una joven alta con una flor en la oreja—. Reyana es nuestra amiga. Nació en Moorea.

Ocupan una mesa donde no tardarán en traer unas copas de sake y de *whisky*. Bokusui es un hombre pálido, de menor estatura que su mujer.

—Mi esposa me habló de ti —dice—, me contó que tuviste un malestar a bordo.

—Fue algo extraño; no sé exactamente lo que sucedió.

—¿Cuánto tiempo te propones permanecer en Tahití? —pregunta Reyana. Tiene unas facciones extraordinariamente sensuales.

—No tengo ni idea, tal vez una semana —responde Damián, y seguidamente habla de su destino viajero y de las circunstancias que lo motivaron.

—Historias como esa, lamentablemente, escuchamos con mucha frecuencia —comenta Bokusui.

—Su hermano Kiyo murió hace un mes en Kyoto —informa Reyana.

—Será mejor que hablemos de otra cosa —propone Ritsako—. ¿Por qué no cenar juntos?

—Es una buena idea —aprueba el ingeniero nipón.

Montados poco después en su vetusto coche eléctrico, se dirigen a Mahina y lo aparcan junto a otros estacionados frente al Moana Iti. Mientas ven desfilar los platos, presencian los números artísticos, grupos folklóricos que devuelven a Damián a su estancia en Rapa Nui.

—¿Deseas bailar? —pregunta Reyana.

—Soy torpe para eso —se disculpa.

—Nadie se preocupa si bailas bien o mal.

Siente las manos de la tahitiana sobre sus hombros. La roja orquídea en el pelo le otorga un aire provocativo.

—¿En qué piensas? Mientras bailaban ese *hula*[129] parecías estar lejos. Ritsako me dijo que naciste en Robinson Crusoe. Me gustaría conocer esa isla.

---

[129] Forma de danza acompañada de cánticos o canciones. Fue desarrollado en las islas Hawái por los polinesios.

Damián se balancea hipnóticamente al ritmo de la música tahitiana pero, una vez más, su realidad se desliza obsesivamente hacia el pasado no muy lejano.

—A veces me convierto en guía para los turistas del hotel Kekii —dice Tiara—. Me agrada hacerlo, pero prefiero ayudar a mi padre en la pesca.

—Un día iremos los cuatro —propone Alain tratando de alcanzar a Tiara, que lo precede por las rojizas laderas del Puna Pau.

Arriba, el francés contempla las ocres vertientes de tierra de cuyas entrañas surgieron los sombreros o *pukaos* que coronan la cabeza de algunos moáis y que algunos historiadores apuntan a que representan más bien a los cabellos de estos. Enfoca la grabadora, como lo hiciera en Vinapú, pidiéndoles que caminen por las breñas, incluyéndose él en las secuencias mediante el dron en seguimiento automático.

—¡Os prometo escoger los escenarios de esta isla para cuando haga mi primera película! —asegura—. Yo me encargaré del guion. Tú serás la protagonista, Tiara: una guía de turismo que se enamora de un forastero. ¡Escribiremos el argumento y Damián será mi ayudante!

Tiara reaparece en el recuerdo desembarcando por fin en Hanga Piko[130]. Ayudada por Damián y valiéndose de una pagaya acerca la lancha a la orilla.

Al día siguiente, el isleño desciende del *taxiscooter* frente a la casa de Marco Pakomio. Descalzándose —se acostumbró a hacerlo, como los pascuenses—, irrumpe en aquella casa rodeada de plataneros y del tupido ramaje de las flores del Inca con sus pétalos carnosos semejantes a los copihues. A su

---

[130] Pequeño puerto pesquero situado en Hanga Roa y el principal punto de desembarque de las mercancías que llegan a la *isla de Pascua*.

encuentro viene el apetitoso aroma del *po 'e* que se prepara en el patio. Jacques Théberge aparece en ese momento.

—¡Sé que te marcharás de Pascua y que esta despedida iba a ser también para tu amigo! —dice con su voz nicotínica.

Isabel Pakomio se acerca, tímida.

—Mamá está ocupada en el curanto —lo saluda—. Ya te la presentaré.

Tras ellas surgen los Paoa, Tiara detrás de sus padres, luego Anastasio Paté y su mujer, Silvana, y el hermano de esta, Alejo, que extiende su curtida mano con una torva expresión, cual si presintiese que estrecha la de su rival.

El hambre muerde las entrañas, sobre todo al percibirse el aroma de las carnes que se asan en el *tunuahe*, en torno al cual se encuentra Valeria, la mujer de Marco Pakomio, que en cuclillas deposita los mariscos sobre las piedras calientes.

—Marco y mi hija me hablaron mucho de ti —exclama, volviendo a Damián su cara enrojecida por el fuego—. ¡Créeme que, aunque no conocí a Alain, me he apenado mucho!

Los ojos de Tiara se cruzan con los de su amante en un nudo de turbación y de complicidad, mientras el alborozo va cobrando un ímpetu primitivo y los brindis —«¡*Manuía*!», «¡*Santé*!», «¡Salud!»— se entremezclan con palabras, relatos y preguntas. María Atan rasguea la guitarra y tararea *Ka me mea*[131] y, más tarde, *Tae Hakapaka*[132], que obligará a los ejecutantes a repetirla. Con una botella de vino en la mano, Jacques Théberge va ofreciéndolo a diestro y siniestro; al acercarse a Damián le dice:

---

[131] «Desfilan en la fiesta».

[132] «La peladora».

—Podría envidiarte porque vas a Francia, pero no tengo ganas de moverme de esta isla, donde moriré no a causa de la peste, sino de viejo o enfermo. No quiero que nadie se entere de dónde me encuentro... ¡Salud!

Con el vaso en la mano, Damián se aproxima al sitio donde se prepara el curanto. Valeria Pakomio vierte un poco de aceite en el *auke* al tiempo que Timoteo y su mujer ensartan trozos de *taro*[133] y tripas de *nanues*[134]. Tiara bebe nerviosamente su *huari*, los afiebrados ojos detenidos en Damián. Este se acerca y Alejo Rapahango los sorprende en el secreto coloquio.

—Temo que esté celoso —susurra Tiara—. Le exaspera que no le haga caso. Créeme, ¡ya no podría soportar sus halagos! —Y en ese momento lo ven acercarse con un plato de mariscos, acosándola a preguntas. Una mortificación desconocida comienza a apoderarse de Damián, que se ha apartado a cierta distancia. (¿Por qué tengo que abandonarla si ya comienzo a sufrir con la idea de perderla?).

Repentinamente las luces se apagan.

—Atención —se oyen extrañas voces y luego un inesperado silencio.

María Atan inicia la canción *Te koro paina*[135] y a la mitad de ella un foco ilumina una figura de paja. Tosca réplica de un hombre elaborado con fibras de *hauhau*[136], la cabeza coronada por mechones de maizales teñidos de un dorado amarillento, exhibe dos ojos fosforescentes y tenebrosos, una caricatura de Alain Grenier, en cuya memoria se realiza el rito que Pakomio prometiera para esta noche.

---

[133] Planta comestible.

[134] Variedad de pescado.

[135] «La fiesta del paina».

[136] Árbol de la familia tiliácea.

Oculto detrás de ese mamarracho, el tabernero pascuense asoma sus ojos por los orificios que simbolizan los del difunto y con luctuosa voz proclama:

Como el pollo robado son

El hombre y la mujer

De ellos nada queda en la tierra

Pero estará presente el sentimiento

De la gratitud…

El melancólico rasgueo de la guitarra parece dar mayor fuerza a sus frases. Una mano que sostiene un gallo surge de pronto del grotesco pelele y la boca de Pakomio muerde su cresta. Un chorro de sangre escapa violentamente manchando a Jacques Théberge y a Timoteo Paoa. La voz del oficiante suena como un lamento:

—¡Es en nombre tuyo, Alain, que realizamos este *koro*! El sacrificio de este *moa*[137] es para tu eterna paz en las aguas de esta isla donde has querido permanecer… ¡Nuestro dios Make-Make hará fácil tu eternidad!

El monigote de fibras desaparece en medio de las sombras y María Atan reanuda el *koro paina*:

I te maharo o te Atua-Hiva é

In kopek ata a tu é…[138]

---

[137] «Gallo».

[138] «En ese mismo sitio adoramos a otros dioses y es el sitio llamado "sin venganza"».

Alguien rompe a llorar. Tiara Paoa se lamenta en su idioma, pero luego, abandonándolo, rechaza la cercanía de Alejo.

—No me pasa nada, déjame. —Y al ver a Damián a su lado un nuevo sollozo se le escapa y apoya la cabeza en la de su padre—. ¡No podré olvidar a Alain… no podré olvidarlo nunca! ¡Era como un hermano y se fue! ¡Mañana… se irá Damián!... ¡Todos se van o se mueren…!

El sonido de unos pasos que se acercan le hace retomar a Damián el control de la realidad.

Al volver a la mesa, Bokusui extiende su copa y propone:

—¡Brindemos por este encuentro… para que nuestro amigo se quede más tiempo en Tahití!

—¡Recién empiezas a conocerlo! —lo anima Ritsako—. Bora Bora, Moorea, son lugares que no puedes perderte.

Después, al intercambiarse las parejas, la azafata nipona vierte las siguientes palabras en el oído de Damián:

—Mientras bailabas con Reyana me di cuenta de que la atraes mucho. Ha quedado viuda hace poco. ¡Tú podrías hacer que se sienta menos sola! —(*No es a esa muerte a la que temo, sino a esa otra peor, y tú sabes cuál es…*)—. ¿Me escuchas? ¡Tal vez no comprendes bien mi español!

—Sí, te entiendo —responde Damián, pero es otra voz la que vuelve a su cerebro.

Tiara llora en los brazos de su padre mientras Jacques Théberge reparte más vino. Salpicado aún por la sangre del gallo que sus dientes han mordido y liberado de su monigote de paja, Marco Pakomio se acerca a Tiara, condolido:

—¡Jamás pensé que ese *koro* iba a entristecerte tanto! No olvides que prometí hacerlo.

María Atan sacude la ensombrecida atmósfera con una juguetona melodía —*Umu rae*[139]— que dedica a Silvana Rapahango y que esta y Lidia Paoa tararean:

Ana poreko tachu poki rae

A puaa koe mo tao é...[140]

Y de nuevo, desordenadamente, fluyen los brindis, y esta creciente algazara va rebotando en el cerebro de Damián, ahíto ya de alcohol. Le costará precisar cómo ha ido agotando, mordido por la angustia, un vaso tras otro hasta que todo termina crepitando en torno suyo: el *huari*, el llanto de Tiara y los restos de paja del pelele de la evocación fúnebre. Después, como a través de una borrosa pesadilla, semejante a la que lo acometiera en el dirigible, se sorprende en el centro del patio mortecinamente iluminado por el fogón. Una voz desconocida ondula estropajosamente desde su garganta, nombrando y luego llamando a Timoteo Paoa y al dueño de la casa, y ante el asombro de estos extrae un puñado de dólares y francos del Pacífico, anunciando, con la voz enronquecida:

—¡Para los amigos de Rapa Nui! Un legado de ese cadáver de Alain resucitado por Pakomio con ese rito. ¡Él me lo pidió antes de morir... que haga llegar a todos..., a todos sus amigos... una parte del dinero que me dejó! ¡Aquí está, para la isla... para todos!

---

[139] «El curanto del primogénito».

[140] «Cuando nazca mi primer hijo. Te comeré como vaca, en curanto...».

—Creo que has tomado mucho *huari* —trata de calmarlo el antorchero Paté.

—Estás bailando sin música —ríe Ritsako—. ¿En qué piensas? —lo acompaña hasta la mesa y Damián agarra su copa semivacía.

Borracho ya como la mayoría, rodeado de varios otros, un oficial de la marina francesa entona la letra de *Mardi bleu* que tres de sus compañeros corean. Bokusui ordena nuevas porciones de sake, y abandonando su introversión se pone a canturrear, una voz apenas audible en medio del canto de los marinos. Ritsako lo observa preocupada. Volviéndose a Damián comenta:

—Canta *Martes azul* en japonés. Su hermano Kiyo lo hacía a menudo. —

Alarmada, lo tironea de un brazo para que se calle, pero Bokusui va transformando su improvisación en algo angustioso que atrae un inesperado corro, incluidos los marinos franceses, que optan por escuchar la versión japonesa en lugar de la suya. Turbada, Ritsako mira a Reyana y a Damián al tiempo que diminutas lágrimas brotan de sus ojos.

—Jamás lo he visto así. Ha bebido en exceso.

Damián se siente dominado por confusos impulsos y, cuando vuelven al coche, conducido ahora por Ritsako, la voz de Bokusui surge tartajeante:

—¡Terminaré... enseñándoos a cantar *Martes azul* en mi idioma..., como la cantaba mi querido Kiyo...! —Y vuelve a dormirse, mientras el vehículo avanza en dirección a Papeete.

El coche se detiene ante un espacioso bungaló con su roja techumbre de bálago. De un vivo color amaranto, el pequeño Ecureil de Reyana se encuentra aparcado allí. Damián ayuda a Ritsako a sostener a Bokusui, que ha despertado.

—¡Bajad… a tomar algo de beber…, solamente uno… para que cantéis en japonés, como yo…, como lo cantaba!… — alcanza a proponer con voz aguardentosa.

—Mañana lo haremos —lo tranquiliza su esposa.

Damián se acomoda en el automóvil de Reyana, quien lo pone en marcha luego de despedirse de sus amigos nipones, enfilándolo hacia el norte.

—Me dan ganas de llorar cuando pienso como cantaba Bokusui entre todos esos tipos, borrachos como él —comenta con voz alterada. Más tarde detiene el coche en la entrada del Venus—. Me gustaría tomar un café. No podría seguir conduciendo, a menos que conecte el autopiloto.

Al entrar al vestíbulo, los ojos de Damián descubren la corpulenta figura del *manager* hundido en un butacón de cuero, la calva cabeza caída sobre un hombro. Entreabre un ojo y se incorpora pesadamente. Luego se dirige al tablero, alargándole la llave junto a una nota.

—Es un mensaje que ha repetido varias veces —explica con voz rutinaria.

—Tomaremos un café antes de subir.

—Puedes pedirlo en el bar, o si prefieres, te lo subirán a tu cuarto.

—Eso me parece mejor —Y se dirigen a la escalera.

La orquídea luce algo marchita en la oreja de la tahitiana. Damián se sienta al borde del lecho y lee el mensaje: «La señorita Lucette Tuuia ha llamado cuatro veces y dejó este número…».

Luego de beber un sorbo de café, lo extiende a Reyana. Después de leerlo, lo deja sobre la mesa de noche.

—Los tendrás iguales cada día... Pienso que el día menos pensado te entregarán el mío.

Los dorados ojos se clavan en los del isleño y este ve cómo va acercándose el sensual rostro hasta que siente que esa boca entreabierta se apodera de la suya, succionándola con una destreza sibilina: la ardiente y puntiaguda lengua penetra en sus fauces, orbitando en sus mucosas, retráctil, infinitamente movediza, al tiempo que sus dedos juegan con su piel y sus ropas, desprendiendo estas y las suyas con agilidad hasta que ambos cuerpos se adosan en una tolvanera impaciente. El isleño se ve atrapado por ese alud que lo envuelve cual anillos de una boa que tritura. Los gemidos de placer exacerban la voluptuosidad del isleño, un placer parcialmente descubierto en el cuerpo de Tiara, a quien ve también desnuda entre sus brazos, la víspera de su alejamiento de Rapa Nui, abrumada de placer y de culpa. En esa vorágine de humedad y piel Reyana se transfigura en Tiara hasta el punto que Damián llega a percibir su perfume y la tersura de su piel.

—¡No podía dejar de verte antes de que te alejes! ¡Jamás pensé que sería capaz de venir hasta tu hotel sin que me lo pidieras! ¡Quiero sentirte de nuevo como en la gruta de Ana Kakenga! ¡Dime, por favor, que volverás a Rapa Nui, que volverás a Tiara!

—Te lo prometí, Tiara.

—Anoche, cuando anunciaste todo eso del dinero de Alain, sentí miedo. ¡Habías bebido mucho! Esta mañana, con esos billetes en la mano, papá y Marco estaban desconcertados... ¡No sabían qué hacer con ellos! Creo que se reunirán con el alcalde para ver cómo lo repartirán. ¡Es una fortuna! —Su boca entreabierta se posa en la de Damián—. ¡Te amo! ¡Esto no podré decírtelo mañana en el aeropuerto delante de todos!

—¡Quédate en Tahití! —repite Reyana—. ¡Te daré todo mi amor!

—¡Anoche me costó mucho dormir! —dice Tiara, sus senos aplastando el velludo tórax de su amante; pero la lengua inexperta de la joven no juega con la destreza de la de la tahitiana, que se hunde y emerge, trombón de carne y fuego, en la boca del isleño y discurre luego por los rincones de su cuerpo, mientras repite, enajenada:

—¡Te amaré cada día más!

—¡Bésame! —clama Tiara, azotada por la pasión—. *¡Tau here!* ¡Estoy enloqueciendo…! ¡No podré, no podré dejarte nunca! ¡Destruiré Mataveri para que no salgas, lo destruiré…, quemaré los aviones y los dirigibles para que no puedas partir!

Muchas cosas sucedían en el mundo invisible que los rodeaba, algunas predecibles, otras sujetas al azar más absoluto. Sin embargo, todo estaba ya escrito, incluso las reglas del azar.

Printed by Amazon Italia Logistica S.r.l.
Torrazza Piemonte (TO), Italy

31327411R00165